# Catálogo de puntos para tejido

- Nociones básicas
- Puntos calados
- Puntos tupidos
- Puntos fantasía

**imaginador**

Elena de Filippi
 Catálogo de puntos para tejido - 1a ed. -
 Buenos Aires : Grupo Imaginador de Ediciones,
 2007.
 64 p. ; 28x20 cm.

 ISBN: 978-950-768-603-0

 1. Tejido . I. Título
 CDD 677.616

I.S.B.N.: 978-950-768-603-0

Primera edición: mayo de 2007

Se ha hecho el depósito que establece la Ley 11.723
© GIDESA, 2007
Bartolomé Mitre 3749 – Ciudad Autónoma de Buenos Aires
República Argentina
IMPRESO EN ARGENTINA – PRINTED IN ARGENTINA

Se terminó de imprimir en Leograf y Compañía S.R.L.,
Armenia 253, Valentín Alsina, en mayo de 2007 con una
tirada de 2.000 ejemplares.

# El tejido: un breve repaso

Aunque este libro no es un manual de aprendizaje de tejido, sino que está dirigido a personas que ya saben tejer y que necesitan contar con una buena variedad de puntos por los cuales optar a la hora de confeccionar una prenda, en estas primeras páginas brindamos algunos datos básicos sobre el arte de tejer a dos agujas.

## Acerca de las agujas

Las agujas para tejer se fabrican en tres materiales: madera, plástico y metal. La elección del material tiene que ver exclusivamente con el gusto y la comodidad de la tejedora, ya que no incide en el resultado de la labor.

El punto más importante a tener en cuenta en relación con las agujas es su grosor, pues así es como se las clasifica.

Por ejemplo: una de las agujas más finas es la clasificada con el número "1 y 1/2", y es la aguja ideal para tejer con un hilado fino. Las agujas clasificadas con el número "4" y sucesivos son más gruesas y, por lo tanto, son las indicadas para tejer labores con hilados gruesos.

# Cómo elegir la lana

La lana es una fibra que tiene la propiedad de mantener el calor en su interior. Es elástica y resistente, y por lo tanto, al lavarse se deforma menos que otros materiales naturales.

Una primera clasificación de las lanas permite distinguir las lanas naturales de las artificiales. La lana natural, como todos sabemos, es producto de la esquila de la oveja. Es bastante más costosa que la lana artificial pero es la elegida cuando deseamos realizar una prenda de alta calidad.

Dentro de las lanas naturales podemos mencionar las siguientes:

## Angora

Proviene del pelo de una variedad de conejos. Su hebra es suave y posee gran cantidad de pequeños y delgados pelos que se hacen visibles a medida que la prenda es utilizada. Es ideal para confeccionar prendas livianas y finas.

## Alpaca

Proviene de la esquila del animal del mismo nombre, un mamífero parecido a la llama, originario de América del Sur.

Si bien esta lana es algo rústica, se la utiliza para confeccionar prendas muy abrigadas.

## Mohair

Proviene del pelo de una variedad de cabras. La hebra está conformada por largos pelos que hacen que resulte suave y sedosa.

## Cachemir

Proviene del pelo de una variedad de cabras originarias del Himalaya. Es sumamente costosa y las prendas confeccionadas con ella son sumamente suaves y delicadas.

## Pelo de camello

Al igual que sucede con la alpaca, este tipo de lana es rústica y suele utilizársela al natural, es decir, sin teñir.

## Lana de oveja

Es la más económica de las lanas naturales y la más utilizada en prendas tejidas. Se la consigue en una enorme variedad de hilados, colores y grosores.

Con respecto a las lanas artificiales, mencionaremos aquí que se trata de hilados conformados con materiales químicos y que imitan las características de las diversas clases de lana natural.

Todos son muy resistentes al uso cotidiano y su costo es sensiblemente inferior al de cualquier tipo de hilado natural.

Las lanas artificiales que más se utilizan son las conformadas por poliamidas, por poliéster y las acrílicas.

# Cómo confeccionar una muestra de tejido

Una vez comprada la lana para tejer una prenda es conveniente realizar una muestra de tejido con el punto que se va a utilizar, la lana y las agujas seleccionadas para la labor. La muestra sirve para saber cuántos puntos e hileras entran en una superficie tipo (10 x 10 cm). A partir de este dato la tejedora puede calcular cuántos puntos e hileras deberá tejer para confeccionar una prenda, o las piezas que la componen.

Por ejemplo: si se va a tejer una falda debemos tomar la medida de contorno de cintura, contorno de cadera y largo de falda de quien va a utilizar la prenda. Si el largo de falda es de 60 cm tendremos que averiguar cuántas hileras (o vueltas) serán necesarias para completar ese largo.

Si a partir de la muestra se establece que en 10 cm de tejido entran 25 hileras, sólo faltará multiplicar 25 x 6, lo que arrojará un resultado de 150 vueltas de tejido, equivalentes a 60 cm. La muestra de tejido deberá medir como mínimo 15 x 15 cm. Una vez confeccionada,

deberá dejársela "descansar" un día entero y luego se la planchará.

Para trabajar de manera más cómoda, una vez obtenida la muestra se deberá cortar un cuadrado de cartón de 12 x 12 cm. Luego se lo calará para obtener un marco de 2 cm de ancho, que alberga un espacio libre, calado, de 10 x 10 cm. Este marco se apoyará sobre la muestra para poder contar los puntos y las hileras.

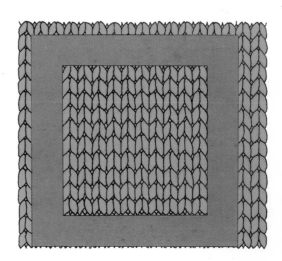

# Signos y abreviaturas utilizados en esta edición

**pd.:** punto derecho.

**pr.:** punto revés.

**laz.:** lazada.

**pj.:** puntos juntos.

**dism.:** disminución.

**prj.:** puntos revés juntos.

**pdj.:** puntos derechos juntos.

**aum.:** aumento.

**(x):** significa que los puntos comprendidos entre una (x) y la otra deben repetirse como secuencia entera hasta el final de la vuelta.

**ag. aux.:** aguja auxiliar.

# Catálogo de puntos

Los puntos incluidos en esta edición no han sido clasificados según el nivel de dificultad de su realización sino que se presentan en orden aleatorio, numerados del 1 al 143.

1ª: 9 pd., 9 p. arroz, 9 pd.

2ª: 9 pr., 9 p. arroz, 9 pr.

3ª: 9 pd., 9 p. arroz, 9 pd.

4ª: 9 pr., 9 p. arroz, 9 pr.

5ª: 9 pd., 9 p. arroz, 9 pd.

6ª: 9 pr., 9 p. arroz, 9 pr.

7ª: 4 pr., 1 laz., 1 pd., 1 laz., 4 pr., 9 p. arroz, 4 pr., 1 laz., 1 pd., 3 pr.

8ª: 4 pd., 1 laz., 3 pr., 1 laz., 4 pd., 9 p. arroz, 4 pd., 1 laz., 3 pr., 1 laz., 4 pd.

9ª: 4 pr., 1 laz., 5 pd., 1 laz., 4 pr., 9 p. arroz, 4 pr., 1 laz., 5 pd., 1 laz., 4 pr.

10ª: 4 pd., 1 laz., 7 pr., 1 laz., 4 pd., 9 p. arroz, 4 pd., 1 laz., 7 pr., 1 laz., 4 pd.

11ª: 4 pr., 1 dism. simple, 5 pd., 2 pj., 4 pr., 9 p. arroz, 4 pr., 1 dism. simple, 5 pd., 2 pj., 4 pr.

12ª: 4 pd., 2 pj., 3 pr., 2 pj. tomados por atrás, 4 pd., 9 p. arroz, 4 pd., 2 pj. revés, 3 pr., 2 pj. tomados por atrás, 4 pd.

13ª: 4 pr., 1 dism. simple, 1 pd., 2 pj., 4 pr., 9 p. arroz, 4 pr., 1 dism. simple, 1 pd., 2 pj., 4 pr.

14ª: 4 pd., 3 pj., 4 pd., 9 p. arroz, 4 pd., 3 pj., 4 pd.

## 2

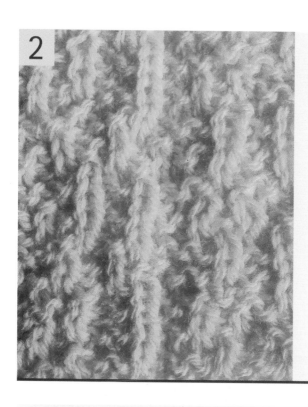

1ª: 2 pr., 1 pd., 3 pr., 1 pd., 1 pr.
2ª: 1 pd., 2 pr., 1 pd., 2 pr., 1 pd., 1 pr.
3ª: 1 pd., 2 pr., 1 pd., 1 pr., 1 pd., 2 pr.
4ª: 1 pd., 3 pr., 1 pd., 2 pr.
5ª: 1 pr., 1 pd., 2 pr., 1 pd., 2 pr., 1 pd.,
    2 pr., 1 pd.
6ª: 2 pr., 1 pd., 1 pr., 1 pd., 2 pr., 1 pd.
7ª: 2 pr., 1 pd., 3 pr., 1 pd., 1 pr.
8ª: igual que la cuarta vuelta.

## 3

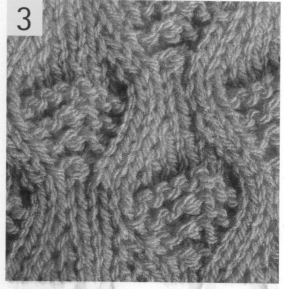

1ª: 3 pd., (x) 7 pr., 5 pd. (x), 1 pr.
2ª y pares: al revés.
3ª: 1 pd., (x) 1 laz., 2 pd., 2 pr., 3 prj.,
    2 pr., 2 pd., 1 laz., 2 pd. (x) 1 laz., 1 pd.
5ª: 2 pd., (x) 1 laz., 2 pd., 1 pr., 3 prj.,
    1 pr., 2 pd., 1 laz., 3 pd. (x).
7ª: 3 pd., (x) 1 laz., 2 pd., 3 prj., 2 pd.,
    1 laz., 5 pd. (x), 1 laz., 3 pd.
9ª: 4 pr., (x) 5 pd., 7 pr. (x), 4 pr.
11ª: 2 prj, (x) 2 pr., 2 pd., 1 laz., 1 pd.,
    1 laz., 2 pd., 2 pr., 3 prj. (x), 2 pr., 2 prj.
13ª: 2 prj., (x) 1 pr., 2 pd., 1 laz.,
    3 pd., 1 laz., 2 pd., 1 pr., 3 prj. (x),
    1 pr., 2 prj.
15ª: 2 prj., (x) 2 pd., 1 laz., 5 pd.,
    1 laz., 2 pd., 3 prj. (x), 2  pd., 2 pdj.

1ª: 6 pd., 6 pr.
2ª: 1 pr., 6 pd., 5 pr.
3ª: 4 pd., 6 pr., 2 pd.
4ª: 3 pr., 6 pd., 3 pr.
5ª: 2 pd., 6 pr., 4 pd.
6ª: 5 pr., 6 pd., 1 pr.
7ª: 6 pr., 6 pd.
8ª: 1 pd., 6 pr., 5 pd.
**Repetir el dibujo.**

1ª y 3ª: al derecho.
2ª y pares: al revés.
5ª: pasar 2 p. a ag. aux., colocada
atrás del tejido, tejer al derecho
el p. siguiente, al derecho los
p. de atrás, pasar 1 p. a ag.
aux. adelante, tejer los
2 p. siguientes al derecho,
y al derecho, el p. de adelante.
7ª y 9ª: igual a la quinta vuelta.
11ª: al derecho.
13ª: repetir desde la primera vuelta.

1ª: 1 pd., 1 aum., 6 pd.,
2 pdj., 2 pd., 1 dism.
simple, 6 pd.,
1 aum.,1 pd.
2ª: al revés.
3ª: al derecho.

1ª: (x) 1 pd., 1 laz., 4 pd., 2 pdj.,
    1 dism. simple, 4 pd., 1 laz. (x), 1 pd.
2ª y pares: al revés.
**Repetir el dibujo.**

1ª: 2 pd., (x) 1 pr., 3 pd.,
    1 pr., 3 pd. (x),
    terminar con 1 p pr.
2ª: 2 pd., (x) 1 pr.,
    3 pd. (x), terminar
    con 1 pd.
**Repetir el dibujo.**

1ª: 9 pd., 1 pr., 9 pd., 1 pr.
2ª: 2 pd., 8 pr., 2 pd., 8 pr.
3ª: 7 pd., 3 pr., 7 pd., 3 pr.
4ª: 4 pd., 6 pr., 4 pd., 6 pr.
5ª: 5 pd., 5 pr., 5 pd., 5 pr.
6ª: 6 pd., 4 pr., 6 pd., 4 pr.
7ª: 3 pd., 7 pr., 3 pd., 7 pr.
8ª: 8 pd., 2 pr., 8 pd., 2 pr.
9ª: 1 pd., 9 pr., 1 pd., 9 pr.
10ª: 9 pd., 1 pr., 9 pd., 1 pr.

Este punto se realiza sólo con un número de
puntos puestos en la aguja divisible por diez.

1ª: 1 laz., 1 pd., 1 laz., 1 dism. doble.
2ª y 4ª: al revés.
3ª: 1 dism. doble, 1 laz., 1 pd., 1 laz.
5ª: como la 1ª.
**Repetir el dibujo.**

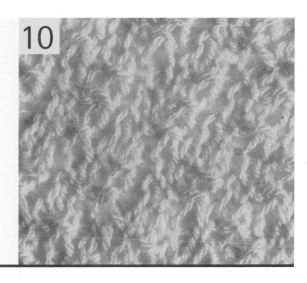

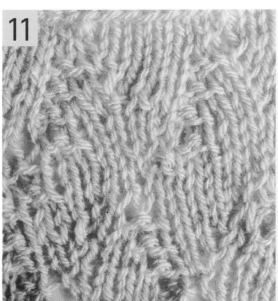

1ª: 1 laz., tomar al revés 2 pj., 5 pd.
2ª y pares: al revés.
3ª: 1 laz., 1 pd., tomar al revés 2 pj., 4 pd.
5ª: 1 laz., 2 pd., tomar al revés 2 pj., 3 pd.
7ª: 1 laz., 3 pd., tomar al revés 2 pj., 2 pd.
9ª: 1 laz., 4 pd., tomar al revés 2 pj., 1 pd.
11ª: 1 laz., 5 pd., tomar al revés 2 pj.
13ª: 5 pd., tomar al revés 2 pj., 1 laz.
15ª: 4 pd., tomar al revés 2 pj., 1 pd., 1 laz.
17ª: 3 pd., tomar al revés 2 pj., 2 pd., 1 laz.
19ª: 2 pd., tomar al revés 2 pj., 3 pd., 1 laz.
21ª: 1 pd., tomar al revés 2 pj., 4 pd., 1 laz.
23ª: 2 prj., 5 pd., 1 laz.

1ª: 2 pr., 1 laz., 1 dism. simple,
    seguir así y terminar con 2 pr.
2ª: 2 pd., 2 pr.
3ª: 2 pr., 2 pj., 1 laz. doble,
    seguir así y terminar con 2 pr.
4ª: 2 pd., 2 pr.
**Repetir el dibujo.**

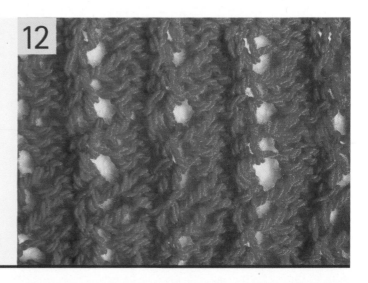

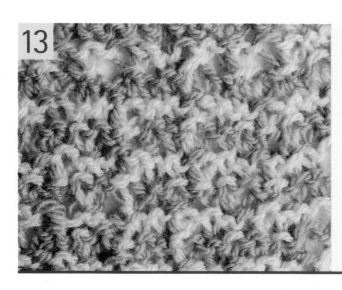

1ª: con lana verde, 1 pr., (x) 1 laz.,
   pasar 1 p. sin tejer, 1 pr.,
   cruzar la laz. sobre los 2 p. (x).
2ª: al revés.
3ª: con lana amarilla, 2 pr.,
   (x) 1 laz., pasar 1 p. sin tejer, 1 pr.,
   cruzar la laz. sobre los 2 p. (x).
4ª: al revés.

Comenzar con 3 vueltas
en pd. (Santa Clara).
1ª: (x) 1 laz., 3 pd., 3 pdj.,
   3 pd., 1 laz., 1 pd. (x).
2ª: al revés.
3ª: (x) 1 laz., 3 pd., 3 pdj.,
   3 pd., 1 laz., 1 pd. (x).
4ª: al derecho.

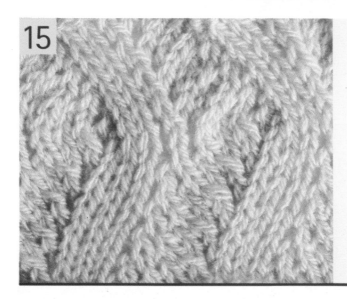

1ª: 2 pd., 1 dism. simple, 2 pdj.,
   2 pd., 1 laz., 1 pd., 1 laz.
2ª, 4ª, 6ª, 8ª, 10ª y todas
las pares: al revés.
3ª, 5ª, 7ª y 9ª: se tejen igual que
   la 1ª.
11ª: 2 pd., 1 laz., 1 pd., 1 laz.,
   2 pd., 1 dism. simple, 2 pdj.
13ª, 15ª, 17ª y 19ª: igual que
   la vuelta 11ª.

1ª, 2ª, 3ª y 4ª: al derecho.
5ª: tejer cada p. al derecho
envolviendo la aguja
2 veces con la hebra.
6ª: tejer cada p. al derecho
dejando caer las 2 laz.

1ª, 3ª, 5ª y 7ª: al derecho.
2ª, 4ª y 6ª: 4 pr., 1 pd.
8ª: al derecho.
. Estas 8 vueltas se repiten siempre.

1ª: 3 pr., 5 pd., 1 pr., 3 pd.
2ª: 2 pr., 1 pd., 1 pr., 1 pd.,
3 pr., 3 pd., 1 pr.
3ª: 2 pd., 3 pr., 3 pd., 1 pr., 3 pd.
4ª: 6 pr., 3 pd., 3 pr.
5ª: 1 pr., 3 pd., 3 pr., 5 pd.
6ª: 1 pd., 3 pr., 3 pd., 3 pr.,
1 pd., 1 pr.
7ª: 1 pr., 5 pd., 3 pr., 3 pd.
8ª: 2 pr., 3 pd., 7 pr.
9ª: 4 pd., 1 pr., 3 pd., 3 pr., 1 pd.
10ª: 3 pd., 3 pr., 1 pd., 1 pr.,
1 pd., 3 pr.
11ª: 1 pr., 3 pd., 1 pr., 5 pd., 2 pr.
12ª: 1 pd., 9 pr., 2 pd.

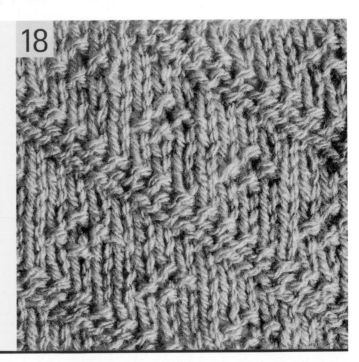

**19**

1ª (derecho): con lana roja, 4 p.,
(x) 2 pj., pasar 1 p. sin tejer,
1 aum. (x), 4 pd.

2ª (revés): al revés con lana roja.

3ª (derecho): con lana celeste, 3 p.,
(x) 2 pj., pasar 1 p. sin tejer, 1 aum. (x), 4 pd.

4ª (revés): al revés con lana celeste.

5ª (derecho): con lana roja, 2 p., (x) 2 pj., pasar
1 p. sin tejer, 1aum. (x), 4 pd.

6ª (revés): toda al revés con lana roja.

7ª (derecho): con lana celeste, 1 p.,
(x) 2 pj., pasar 1 p. sin tejer, 1aum. (x), 4 pd.

8ª (revés): al revés con lana celeste.

9ª (derecho): con lana roja, (x) 2 pj.,
pasar 1 p. sin tejer, 1 aum. (x), 4 pd.

10ª (revés): al revés con lana roja.

11ª (derecho): con lana celeste, 6 p.,
(x) 2 pj., pasar 1 p. sin tejer,
1aum. (x), 4 pd.

12ª (revés): al revés con lana celeste.

13ª (derecho): con lana roja, 5 p.,
(x) 2 pj., pasar 1 p. sin tejer, 1 aum. (x), 4 pd.

**Repetir el dibujo.**

1ª: 5 pr., 7 pd.
2ª: 1 pd., 5 pr., 5 pd., 1 pr.
3ª: 2 pd., 5 pr., 3 pd., 1 pr., 1 pd.
4ª: 2 pr., 1 pd., 1 pr., 5 pd., 3 pr.
5ª: 4 pd., 5 pr., 3 pd.
6ª: 2 pr., 5 pd., 1 pr., 1 pd., 3 pr.
7ª: 2 pd., 1 pr., 3 pd., 5 pr., 1 pd.
8ª: 5 pd., 5 pr., 1 pd., 1 pr.
9ª: 1 pr., 7 pd., 4 pr.
10ª: 3 pd., 1 pr., 1 pd., 5 pr., 2 pd.
11ª: 3 pr., 3 pd., 1 pr., 3 pd., 2 pr.
12ª: 1 pd., 5 pr., 1 pd., 1 pr., 4 pd.
**Repetir el dibujo.**

**20**

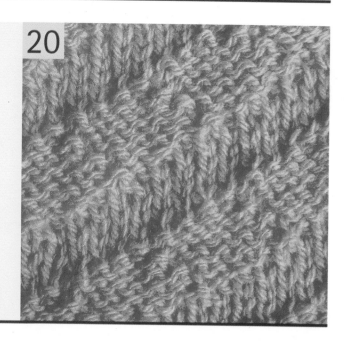

**21**

1ª y 3ª: 1 pd., (x) 1 laz., 2 pdj. tomados por atrás, 1 laz., 2 pdj. tomados por atrás, 1 laz., 2 pdj. tomados por atrás, 1 laz., 2 pdj. tomados por atrás, 1 laz., 2 pdj. tomados por atrás, 6 pd. (x), 7 pd.

2ª, 4ª, 6ª, 8ª, 10ª y 12ª: 7 pr., (x) 1 laz. 2 prj., 1 laz., 2 prj., 1 laz., 2 prj., 1 laz., 2 prj, 6 pr. (x).

5ª y 11ª: 1 pd., (x) 1 laz., 2 pdj. tomados por atrás, 1 laz., 2 pdj. tomados por atrás, 1 laz., 2 pdj. tomados por atrás, 1 laz., 2 pdj. toma dos por atrás, 1 laz., 2 pdj. tomados por atrás. Pasar 3 p. a un palillo y dejarlos por delante, tejer 3 pd., luego los del palillo (x).

13ª y 15ª: 1 pd., (x) 1 laz., 2 pdj. tomados por atrás, 6 pd., 1 laz., 2 pdj. tomados por atrás, 1 laz., 2 pdj., tomados por atrás, 1 laz., 2 pdj., tomados por atrás (x).

14ª, 16ª, 18ª, 20ª, 22ª y 24ª: 1 pr., (x) 1 laz., 2 prj., 1 laz., 2 prj., 1 laz., 2 prj., 6 pr., 1 laz., 2 prj. (x).

17ª y 19ª: 1 pd., 1 laz., 2 pdj. tomados por atrás, (x) pasar 3 p. a un palillo y dejarlos por delante, tejer 3 pd., luego los 3 pd. del palillo, 1 laz., 2 pdj. tomados por atrás cinco veces (x).

1ª, 3ª y 5ª: 2 pr., 6 pd.

2ª y pares: como se presenten los puntos.

7ª: 2 pd., 1 pr., 4 pd., 1 pr.

9ª: 3 pd., 1 pr., 2 pd., 1 pr., 1 pd.

11ª, 13ª y 15ª: 4 pd., 2 pr., 2 pd.

17ª: 3 pd., 1 pr., 2 pd., 1 pr., 1 pd.

19ª: 2 pd., 1 pr., 4 pd., 1 pr.

Este punto se realiza sólo con un número de puntos puesto en la aguja divisible por ocho.

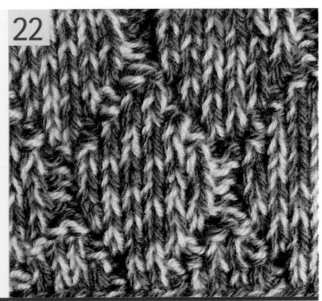

**22**

## 23

1ª: 2 pd., (x) 1 laz., 2 pj., 5 pd. (x).

2ª y pares: al revés.

3ª: 1 pd., (x) 1 laz., 2 pj., 1 laz., 2 pj., 6 pd. (x).

5ª: 1 pd., (x) 1 laz., 2 pj., 1 laz., 2 pj.,
1 laz., 2 pj., 4 pd. (x).

7ª: 1 pd., 1 laz., 2 pj., 1 laz., 2 pj., 1 laz.,
2 pj., 1 laz., 2 pj., 2 pd.

9ª: 1 pd., (x) 2 pj., 1 laz., 2 pj., 1 laz.,
2 pj., 1 laz., 4 pd. (x).

11ª: 2 pd., (x) 2 pj., 1 laz., 2 pj., 1 laz.,
2 pj., 3 pd. (x).

13ª: 2 pd., (x) 1 laz., 2 pj., 3 pd., 1 laz.,
2 pj., 3 pd. (x).

15ª: 6 pd., (x) 1 laz., 2 pj., 1 laz., 2 pj., 6 pd. (x).

17ª: 5 pd., (x) 1 laz., 2 pj., 1 laz., 2 pj.,
1 laz., 2 pj., 4 pd. (x).

19ª: 4 pd., (x) 1 laz., 2 pj., 1 laz., 2 pj.,
1 laz., 2 pj., 1 laz., 2 pj., 2 pd. (x).

21ª: 5 pd., (x) 1 laz., 2 pj., 1 laz., 2 pj.,
1 laz., 2 pj., 4 pd. (x).

23ª: 6 pd., (x) 1 laz., 2 pj., 1 laz., 2 pj., 6 pd. (x).

25ª: 2 pd., (x) 1 laz., 2 pj., 1 laz., 2 pj., 3 pd. (x).

1ª y 3ª: 1 p. de orilla, (x) 2 pd.,
1 pr. (x), 1 p. de orilla.

2ª: 1 p. de orilla, (x) 1 pd., 2 pr. (x),
1 p. de orilla.

4ª: al derecho.

**Repetir el dibujo.**

## 24

**25**

1ª, 3ª, 5ª, 7ª, 9ª y 11ª: 3 pd., 3 pr.

2ª, 4ª, 6ª, 8ª, 10ª, 12ª, 14ª, 16ª, 18ª, 20ª, 22ª
y 24ª: al derecho.

13ª, 15ª, 17ª, 19ª, 21ª y 23ª: 3 pr., 3 pd.

**Repetir el dibujo.**

Este punto se realiza sólo con un número de
puntos puestos en la aguja divisible por seis.

**26**

1ª: 6 pr., (x) 1 laz., 1 pd., 1 laz.,
    6 pr. (x).

2ª: (x) 6 pd., 3 pr. (x), 6 pd.

3ª: 6 pr., (x) 1 pd., 1 laz., 1 pd.,
    1 laz., 1 pd., 6 pr. (x).

4ª: (x) 6 pd., 5 pr. (x), 6 pd.

5ª: 6 pr, (x) 2 pd., 1 laz., 1 pd.,
    1 laz., 2 pd., 6 pr. (x).

6ª: (x) 6 pd., 7 pr. (x), 6 pd.

7ª: 6 pr., (x) 3 pd., 1 laz., 1 pd.,
    1 laz., 3 pd., 6 pr. (x).

8ª: (x) 6 pd., 9 pr. (x), 6 pd.

9ª: 6 pr., (x) 1 dism. simple,
    5 pd., 2 pdj., 6 pr. (x).

10ª: (x) 6 pd., 7 pr. (x), 6 pd.

11ª: 6 pr., (x) 1 dism. simple,
    3 pd., 2 pdj., 6 pr. (x).

12ª: (x) 6 pd., 5 pr. (x), 6 pd.

13ª: 6 pr., (x) 1 dism. simple,
    1 pd., 2 pdj., 6 pr. (x).

14ª: (x) 6 pd., 3 pr. (x), 6 pd.

15ª: 6 pr., (x) 1 dism. doble, 6 pr. (x).

16ª, 18ª y 20ª: al derecho.

17ª y 19ª: al revés.

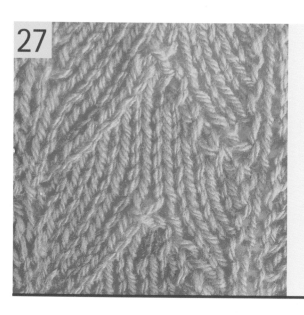

**27**

1ª: 4 pd., 2 pj., 1 laz., (x) 1 pd., 1 laz.,
2 pj., 7 pd., 2 pj., 1 laz. (x).
2ª y pares: al revés.
3ª: 3 pd., 2 pj., 1 pd., 1 laz., (x) 1 pd., 1 laz.,
1 pd., 2 pj., 5 pd., 2 pj., 1 pd., 1 laz. (x).
5ª: 2 pd., 2 pj., 2 pd., 1 laz., (x) 1 pd., 1 laz.,
2 pd., 2 pj., 3 pd., 2 pj., 2 pd., 1 laz.
7ª: 1 pd., 2 pj., 3 pd., 1 laz., (x) 1 pd., 1 laz.,
3 pd., 2 pj., 1 pd., 2 pj., 3 pd., 1 laz.
9ª: 2 pj., 4 pd., 1 laz., (x) 1 pd., 1 laz., 4 pd.,
1 dism. doble, 4 pd., 1 laz.
**Repetir el dibujo.**

1ª: 1 pr., 3 pd., 3 pr., 3 pd., 1 pr., 3 pd.,
3 pr., 3 pd.
2ª: 1 pd., 3 pr., 1 pd., 3 pr., 3 pd., 3 pr.,
1 pd., 3 pr., 2 pd.
3ª: 1 pd., 2 pr., 5 pd., 2 pr., 1 pd., 2 pr.,
5 pd., 2 pr.
4ª: 1 pr., 2 pd., 3 pr., 2 pd., 3 pr., 2 pd.,
3 pr., 2 pd., 2 pr.
5ª: 3 pd., 2 pr., 1 pd., 2 pr., 5 pd., 2 pr.,
1 pd., 2 pr., 2 pd.
6ª: 3 pr., 3 pd., 3 pr., 1 pd., 3 pr., 3 pd.,
1 pr., 3 pd.
**Repetir el dibujo.**

**28**

**29**

1ª: (x) 2 pd., 2 pr. (x).
2ª y pares: tejer los puntos
como se presentan.
3ª: (x) 1 pd., 2 pr., 1 pd. (x).
5ª: (x) 2 pr., 2 pd. (x).
7ª: (x) 1 pr., 2 pd., 1 pd (x).

**30**

1ª: (x) 1 pd., 1 dism. doble, 9 pd., 1 laz., 1 pd., 1 laz., 2 pr., 1 laz., 1 pd., 1 laz., 9 pd., 1 dism. doble (x).

2ª y pares: (x) 13 pr., 2 pd., 14 pr. (x).

3ª: (x) 1 pd., 1 dism. doble, 8 pd., 1 laz., 1 pd., 1 laz., 1 pd., 2 pr., 1 pd., 1 laz., 1 pd., 1 laz., 8 pd., 1 dism. doble (x).

5ª: (x) 1 pd., 1 dism. doble, 7 pd., 1 laz., 1 pd., 1 laz., 2 pd., 2 pr., 2 pd., 1 laz., 1 pd., 1 laz., 7 pd., 1 dism. doble (x).

7ª: (x) 1 pd., 1 dism. doble, 6 pd., 1 laz., 1 pd., 1 laz., 3 pd., 2 pr., 3 pd., 1 laz., 1 pd., 1 laz., 6 pd., 1 dism. doble (x).

9ª: (x) 1 pd., 1 dism. doble, 5 pd., 1 laz., 1 pd., 1 laz., 4 pd., 2 pr., 4 pd., 1 laz., 1 pd., 5 pd., 1 dism. doble (x).

**31**

1ª (derecho): con lana amarilla, 4 p., (x) 2 pj., pasar 1 p. sin tejer, 1 aum. (x), 4 p.

2ª (revés): con lana amarilla.

3ª (derecho): con lana marrón, 3 p., (x) 2 pj., pasar 1 p. sin tejer, 1 aum. (x), 4 p.

4ª (revés): con lana marrón.

5ª (derecho): con lana amarilla, 2 p., (x) 2 pj., pasar 1 p. sin tejer, 1 aum. (x), 4 p.

6ª (revés): con lana amarilla.

7ª (derecho): con lana marrón, 1 p., (x) 2 pj., pasar 1 p. sin tejer, 1 aum. (x), 4 p.

8ª (revés): con lana marrón.

9ª (derecho): con lana amarilla, (x) 2 pj., pasar 1 p. sin tejer, 1 aum. (x), 4 p.

10ª (revés): con lana amarilla.

11ª (derecho): con lana marrón, 6 p., (x) 2 pj., pasar 1 p. sin tejer, 1 aum. (x), 4 p.

12ª (revés): con lana marrón.

13ª (derecho): con lana amarilla, 5 p., (x) 2 pj., pasar 1 p. sin tejer, 1 aum. (x), 4 p.

1ª: con lana azul, 1 pr., (x) 1 laz.,
    pasar 1 p. sin tejer, 1 pr., cruzar la laz.
    sobre los 2 p. (x).
2ª: todo en pr.
3ª: con lana rosada, 2 pr., (x) 1 laz.,
    pasar 1 p. sin tejer, 1 pr., cruzar la laz.
    sobre los 2 p. (x).
4ª: todo en pr.
**Repetir desde la primera vuelta.**

1ª y 3ª: 3 pr., (x) 2 pd., 2 pr., 2 pd., 5 pr. (x).
2ª y 4ª: 3 pd., (x) 2 pr., 2 pd., 2 pr., 5 pd. (x).
5ª: 3 pr., (x) tejer al der. el 2° p. de los sig.
    tomando la brida de arriba y sin soltarlo
    tejer al derecho el primer p., deslizar los
    2 p. a la vez, 2 pr., tejer al derecho el
    segundo p. de los dos sig. tomando la
    brida de arriba y sin soltarlo tejer al
    derecho el primer p., deslizar las dos
    a la vez, 7 pr. (x).
**Volver a la primera vuelta y repetir estas
6 vueltas.**

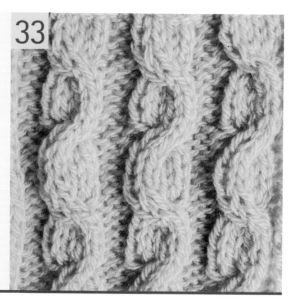

1ª: 3 pr., 5 pd., 1 pr., 3 pd.
2ª: 2 pr., 1 pd., 1 pr., 1 pd., 3 pr., 3 pd., 1 pr.
3ª: 2 pd., 3 pr., 3 pd., 1 pr., 3 pd.
4ª: 6 pr., 3 pd., 3 pr.
5ª: 1 pr., 3 pd., 3 pr., 5 pd.
6ª: 1 pd., 3 pr., 3 pd., 3 pr., 1 pd., 1 pr.
7ª: 1 pr., 5 pd., 3 pr., 3 pd.
8ª: 2 pr., 3 pd., 7 pr.
9ª: 4 pd., 1 pr., 3 pd., 3 pr., 1 pd.
10ª: 3 pd., 3 pr., 1 pd., 1 pr., 1 pd., 3 pr.
11ª: 1 pr., 3 pd., 1 pr., 5 pd., 2 pr.
12ª: 1 pd., 9 pr., 2 pd.
**Repetir el dibujo.**

1ª: 1 pd., 2 pr., 3 pd., 2 pr.
2ª, 6ª, 10ª y 14ª: 2 pd., 2 pr.
3ª: 3 pd., 2 pr., 2 pd., 1 pr.
4ª: 4 pd., 4 pr.
5ª: 2 pd., 1 pr., 2 pd., 3 pr.
7ª: 2 pd., 3 pr., 2 pd., 1 pr.
8ª: 2 pr., 4 pd., 2 pr.
9ª: 2 pd., 2 pr., 1 pd., 2 pr., 1 pd.
11ª: 1 pr., 1 pd., 2 pr., 3 pd., 1 pr.
12ª: 4 pr., 4 pd.
13ª: 1 pd., 3 pr., 2 pd., 1 pr., 1 pd.
15ª: 1 pr., 2 pd., 1 pr., 2 pd., 2 pr.
16ª: 2 pd., 4 pr., 2 pd.

35

36

1ª y 3ª: al derecho.
2ª y 4ª: al revés.
5ª: 5 pd., soltar uno, tejer 2 p. y recoger
   el p. suelto.
6ª, 8ª y 10ª: al revés.
7ª y 9ª: al derecho.
11ª: 1 pd., soltar 2 p. para atrás y
   tejer el p. sig., luego tomar
   los 2 p. que se soltaron y tejer 7 p.
12ª, 14ª y 16ª: al revés.
13ª y 15ª: al derecho.
**Repetir desde la quinta vuelta.**

1ª y 3ª: al derecho.
2ª: al revés.
4ª: 6 pr., 6 pd., 6 pr., 6 pd.
5ª: 6 pd., 6 pr., 6 pd., 6 pr.
6ª: 6 pr., 6 pd., 6 pr., 6 pd.
7ª y 9ª: al derecho.
8ª: al revés.
**Repetir desde la cuarta vuelta.**

37

**38**

1ª: 1 pr., 1 laz., 1 dism. simple, 3 pd.
2ª, 4ª, 6ª, y 8ª: 5 pr., 1 pd.
3ª: 1 pr., 1 pd., 1 laz., 1 dism. simple, 2 pd.
5ª: 1 pr., 2 pd., 1 laz., 1 dism. simple, 1 pd.
7ª: 1 pr., 3 pd., 1 laz., 1 dism. simple.
**Repetir el dibujo.**

Este punto se realiza sólo con un número de
puntos puestos en la aguja divisible por seis.

1ª, 3ª y 5ª: al derecho.
2ª y 4ª: al revés.
6ª: 2 pdj., toda la vuelta.
7ª: tejer cada punto 1 vez al derecho,
    1 vez al revés.
8ª: al revés.

Este punto se realiza sólo con un número par de
puntos puestos en la aguja.

**39**

**40**

1ª: 9 pd., 1 pr.
2ª: 2 pd., (x) 7 pr., 3 pd. (x), 1 pd.
3ª: 2 pr., (x) 5 pd., 5 pr. (x), 3 pr.
4ª: 4 pd., (x) 3 pr., 7 pd. (x), 3 pd.
5ª: 4 pr., (x) 1 pd., 9 pr. (x), 5 pr.
6ª: 4 pd., (x) 3 pr., 7 pd. (x), 3 pd.
7ª: 2 pr., (x) 5 pd., 5 pr. (x), 3 pr.
8ª: 2 pd., (x) 7 pr., 3 pd. (x), 1 pd.

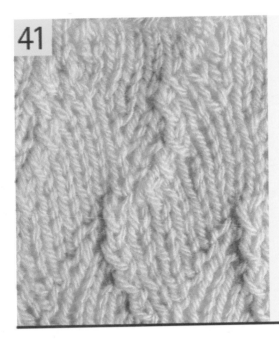

**41**

1ª: (x) 1 laz., tomar del revés 2 pj., 5 pd. (x).
2ª y pares: al revés.
3ª: (x) 1 laz., 1 pd., tomar del revés 2 pj., 4 pd. (x).
5ª: (x) 1 laz., 2 pd., tomar del revés 2 pj., 3 pd. (x).
7ª: (x) 1 laz., 3 pd., tomar del revés 2 pj., 2 pd. (x).
9ª: (x) 1 laz., 4 pd., tomar del revés 2 pj., 1 pd. (x).
11ª: (x) 1 laz., 5 pd., tomar del revés 2 pj. (x).
13ª: (x) 5 pd., tomar del revés 2 pj., 1 laz. (x).
15ª: (x) 4 pd., tomar del revés 2 pj., 1 pd., 1 laz. (x).
17ª: (x) 3 pd., tomar del revés 2 pj., 2 pd., 1 laz. (x).
19ª: (x) 2 pd., tomar del revés 2 pj., 3 pd., 1 laz. (x).
21ª: (x) 1 pd., tomar del revés 2 pj., 4 pd., 1 laz. (x).
23ª: (x) 2 pj., 5 pd., 1 laz. (x).
**Repetir el dibujo.**

1ª: al revés.
2ª: 1 laz., pasar 1 p. sin tejer a la ag. der.,
    2 pd., pasar el punto sin tejer por encima
    de los 2 p. tejidos.
3ª: al revés.
4ª: 2 pd. y luego igual que la 2ª.
5ª: al revés.
6ª: 1 pd. y luego igual a la 2ª.
7ª: al revés.
8ª: igual a la 2ª vuelta y continuar
    el dibujo empezando por la 3ª vuelta.

Este punto se realiza sólo con un número de
puntos puestos en la aguja divisible por tres.

**42**

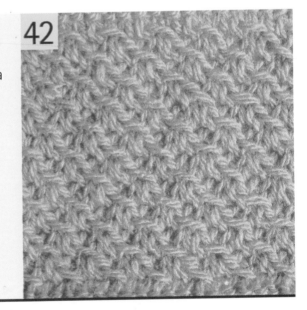

**43**

1ª: (x) 3 pd., 3pr. (x).
2ª y pares: tejer los p. como se presentan.
3ª: 2 pd., (x) 3 pr., 3 pd. (x).
5ª: 1 pd., (x) 3 pr., 3pd. (x).
7ª: (x) 3 pr., 3 pd. (x).
9ª: 2 pr., (x) 3 pd., 3 pr. (x).
11ª: 1 pr., (x) 3 pd., 3 pr. (x).
13ª: igual a la 1ª vuelta.

1ª: 10 pr., 3 pd., 10 pr., 3 pd.

2ª: 3 pr., 10 pd.

3ª: 2 pr., 6 pd., 2 pr., 3 pd., 2 pr., 6 pd.,
2 pr., 3 pd.

4ª: 5 pd., 6 pr., 7 pd., 6 pr., 2 pd.

5ª: 2 pr., 6 pd., 7 pr., 6 pd., 5 pr.

6ª: 3 pr., 2 pd., 6 pr., 2 pd., 3 pr., 2 pd.,
6 pr., 2 pd.

7ª: 10 pr., 3 pd., 10 pr., 3 pd.

8ª: 3 pr., 10 pd., 3 pr., 10 pd.

**Tejer 6 vueltas de punto jersey.**

15ª: 3 pr., 3 pd., 10 pr., 3 pd., 7 pr.

16ª: 7 pd., 3 pr., 10 pd., 3 pr., 3 pd.

17ª: 1 pd., 2 pr., 3 pd., 2 pr., 3 pd., 2 pr.,
6 pd., 2 pr., 5 pd.

18ª: 5 pr., 7 pd., 6 pr., 7 pd., 1 pr.

19ª: 1 pd., 7 pr., 6 pd., 7 pr., 5 pd.

20ª: 5 pr., 2 pd., 3 pr., 2 pd., 6 pr., 2 pd.,
3 pr., 2 pd., 1 pr.

21ª: 3 pr., 3 pd., 10 pr., 3 pd., 7 pr.

22ª: 7 pd., 3 pr., 10 pd., 3 pr., 3 pd.

**Tejer 6 vueltas de punto jersey.**

**44**

**45**

1ª: (x) 4 pd., 2 pr. (x).

2ª y pares: tejer los p. como se presentan.

3ª: (x) pasar 2 p. a una ag. aux. y colocar la
ag. atrás del tejido, 2 pd. y al der.
los p. de atrás, 2 pr. (x).

5ª: 2 pr., (x) 2 pd., pasar 2 p. a una
ag. aux.  atrás, 2 pd. y los p. de atrás
al revés (x), 4 pd.

7ª: (x) 2 pr., pasar 2 p. a una ag. aux.
adelante, 2 pd. y los 2 p. de
ag. aux. al derecho (x).

9ª: 4 pd., (x) pasar 2 p. adelante,
2 pr. y al der. los p. de la ag. aux.,
2 pd. (x), 2 pr.

**Repetir desde la tercera vuelta.**

1ª: (x) pasar 1 p. al revés,
   2 pd., montar el p. pasado
   sobre los 2 pd., 3 pd. (x).
2ª: (x) 4 pr., 1 laz., 1 pr. (x).
3ª: (x) 3 pd., pasar 1 p. al revés,
   2 pd., montar el p. pasado
   sobre los 2 pd. (x).
4ª: (x) 1 pr., 1 laz., 4 pr. (x).
**Repetir desde la primera vuelta.**

Este punto se realiza sólo con un número de
puntos puestos en la aguja divisible por seis.

1ª: pasar 1 p. sin tejer, tejer los 2 p. sig.,
   1 laz., pasar el p. sin tejer por arriba.
2ª y pares: al revés.
**Repetir las dos vueltas.**

1ª: (x) 4 pr., 4 pd. alargados (entrar
   la ag. del p. normalmente, enrollar
   el hilo 3 veces en la ag. derecha
   antes de tejer los p. sig.) (x), 4 pr.
2ª y pares: 4 pd., (x) pasar al revés
   los 4 p. alargados en la vuelta
   anterior, 4 pd. (x).
3ª: 4 pr., pasar al revés los
   4 p. alargados (x), 4 pr.
**Repetir desde la primera vuelta.**

Este punto se realiza sólo con un número de
puntos puestos en la aguja divisible por
ocho más cuatro puntos.

**49**

1ª: (x) 1 pd., 1 laz., 2 pd., 1 dism. doble, 2 pd., 1 laz (x), 1 pd.

2ª y pares: al revés.

3ª: (x) 1 pd., 1 laz., 2 pd., 3 prj., 2 pd., 1 laz. (x), 1 pd.

Este punto se realiza sólo con un número de puntos puestos en la aguja divisible por ocho más un punto más dos puntos.

1ª: al derecho.

2ª y pares: al revés.

3ª: (x) pasar 2 p. a ag. aux. colocada adelante, tejer al derecho los 2 p. sig., al derecho los p. de la ag. aux., pasar 2 p. a ag. aux. colocada atrás, tejer al derecho los 2 p. sig. y al derecho los de ag. aux.

5ª: al derecho.

7ª: (x) pasar 2 p. atrás en ag. aux., tejer 2 p. al derecho y los de atrás al derecho, pasar 2 p. a ag. aux. adelante, tejer 2 p. al derecho y al derecho los de ag. aux.

**Repetir desde la primera vuelta.**

**50**

**51**

1ª: 6 pd., 1 laz., 2 pj., 1 laz., 2 pj., 1 laz., 2 pj.

2ª y pares: al revés.

3ª: 6 pd., 1 laz., 2 pj., 2 pd., 1 laz., 2 pj.

5ª: como la 3ª.

7ª: como la 1ª.

1ª: 1 p. orilla, (x) 3 pd., 1 p. pasado (x), 1 pd. y 1 p. de orilla.

2ª: al revés, pasando los p. pasados en la vuelta anterior.

3ª: 1 pd., (x) colocar en ag. aux. el punto pasado y dejado hacia el derecho del trabajo, 3 pd., tejer derecho el p. de la ag. aux. (x).

4ª: al revés.

5ª: 1 pd., (x) 3 pd., 1 p. pasado, 3 pd. (x).

6ª: al revés pasando los p. pasados de la vuelta anterior.

7ª: 1 pd., (x) pasar 3 p. a ag. aux., dejarla hacia el revés del trabajo. Tejer derecho el p. pasado de la vuelta anterior. Tejer derecho los 3 p. de la ag. aux. (x).

8ª: al revés.

52

53

1ª: al derecho.

2ª: 5 pd., 3 pr., 5 pd., 3 pr., 5 pd., 3 pr., 5 pd.

3ª: 5 pd., 1 laz., 3 pj., 1 laz., 5 pd., 1 laz., 3 pj., 1 laz., 5 pd.

4ª: 5 pd., 3 pr., 5 pd., 3 pr., 5 pd., 3 pr., 5 pd.

**Repetir desde la primera vuelta.**

**54**

1ª: (x) 4 pd., 1 laz., 1 dism. simple,
    3 pd. (x).

2ª y pares: al revés.

3ª: (x) 2 pd., 2 pdj., 1 laz., 1pd.,
    1 laz., 1 dism. simple, 2 pd. (x).

5ª: (x) 1 pd., 2 pdj., 1 laz., 3 pd.,
    1 laz., 1 dism. simple, 1 pd. (x).

7ª: (x) 2 pdj., 1 laz., 5 pd., 1 laz.,
    1 dism. simple (x).

Este punto se realiza sólo con un número de
puntos puestos en la aguja divisible por nueve.
Se deben repetir los calados sobre ronda de
punto jersey a intervalos regulares.

**55**

1ª: 1 pr., (x) 1 pd., 1 laz., 1 dism. simple,
    9 pd., 2 pdj., 1 laz. (x), 1 pd., 1 pr.

2ª y pares: al revés.

3ª: 1 pr., 2 pd., (x) 1 laz., 1 dism. simple,
    7 pd., 2 pdj., 1 laz., 3 pd. (x), 2 pd., 1 pr.

5ª: 1 pr., (x) 1 pd., 1 laz., 1 dism. simple,
    1 laz., 1 dism. simple, 5 pd., 2 pdj., 1 laz.,
    2 pdj., 1 laz. (x).

7ª: 1 pr., 2 pd., (x) 1 laz., 1 dism. simple,
    1 laz., 1 dism. simple, 3 pd., 2 pdj., 1 laz.,
    2 pdj., 1 laz., 3 pd. (x).

9ª: 1 pr., (x) 1 pd., 1 laz., 1 dism. simple,
    1 laz., 1 dism. simple, 1 laz., 1 dism.
    simple, 1 pd., 2 pdj., 1 laz., 2 pdj., 1 laz.,
    2 pdj., 1 laz. (x).

11ª: 1 pr., 2 pd., (x) 1 laz., 1 dism. simple,
     1 laz., 1 dism. simple, 1 laz., 1 dism. doble,
     1 laz., 2 pdj., 1 laz., 2 pdj., 1 laz., 3 pd. (x).

1ª: 1 pd., 1 laz., 1 dism. simple, 3 pd.,
   2 pdj., 1 laz.
2ª, 4ª, 6ª, 8ª, 10ª y 12ª: al revés.
3ª: 2 pd., 1 laz., 1 dism. simple, 1 pd.,
   2 pdj., 1 laz., 1 pd.
5ª: 3 pd., 1 laz., 1 dism. doble, 1 laz., 2 pd.
7ª: 2 pd., 2 pdj., 1 laz., 1 pd., 1 laz.,
   1 dism. simple, 1 pd.
9ª: 1 pd., 2 pdj., 1 laz., 3 pd., 1 laz.,
   1 dism. simple.
11ª: 2 pdj., (x) 1 laz., 5 pd., 1 laz.,
   1 dism. doble (x).

Este punto se realiza sólo con un número de
puntos puestos en la aguja divisible por ocho.

1ª: al derecho.
2ª: al revés.
3ª: al derecho.
4ª: al revés.
5ª (derecho): 2 p., (x) dejar caer 3 p. para
   el revés, 3 p., levantar los 3 p. caídos
   y tejerlos, dejar caer 3 p. para el derecho,
   3 p., levantar los 3 p. caídos y tejerlos
   al derecho, dejar caer 3 p. para el
   revés, 3 p., levantar los 3 p. caídos y
   tejerlos, dejar caer 3 p. para el derecho,
   3 p., levantar los 3 p. caídos
   y tejerlos (x), 2 pd.
6ª: al revés.
**Repetir el dibujo.**

1ª: 2 pr., 1 pd., 1 laz., 1 pd.
2ª: 3 pr., 2 pd.
3ª: 2 pr., 1 p. sin tejer, 2 pd., pasar el
   p. sin tejer sobre los 2 p. tejidos.
4ª: 2 pr., 2 pd.
**Repetir el dibujo.**

**59**

1ª: 3 pd., 1 pr., 1 pd., 1 pr.
2ª: sin contrariar.
3ª: 2 pd., 1 pr., 1 pd., 1 pr., 1 pd.
4ª: sin contrariar.
5ª: 1 pd., 1 pr., 1 pd., 1 pr., 2 pd.
6ª: sin contrariar.
7ª: 1 pr., 1 pd., 1 pr., 3 pd.
8ª: sin contrariar.
9ª: 1 pd., 1 pr., 1 pd., 1 pr., 2 pd.
10ª: sin contrariar.
11ª: 2 pd., 1 pr., 1 pd., 1 pr., 1 pd.
12ª: sin contrariar.
**Repetir el dibujo.**

Este punto se realiza sólo con un número de puntos puestos en la aguja divisible por cinco.

1ª: 2 pr., (x) 1 laz., 3 pd., pasar la laz. encima de los 3 pd., 4 pd., 4 pr. (x).
2ª y pares: 2 pd., (x) 7 pr., 4 pd.
3ª: 2 pr., (x) 1 pd., 1 laz., 3 pd., pasar la laz. encima de los 3 pd., 3 pd., 4 pr. (x).
5ª: 2 pr., (x) 2 p., 1 laz., 3 pd., pasar la laz. encima de los 3 pd., 2 pd., 4 pr. (x).
7ª: 2 pr., (x) 3 pd., 1 laz., 3 pd., pasar la laz. encima de los 3 pd., 1 pd., 4 pr. (x).
9ª: 2 pr., (x) 4 pd., 1 laz., 3 pd., pasar la laz. encima de los 3 pd., 4 pr. (x).
**Repetir el dibujo.**

**60**

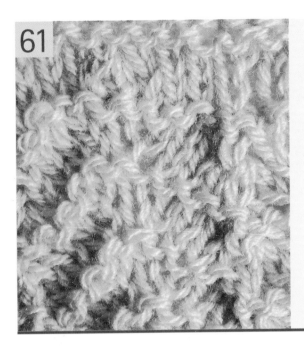

**61**

Comenzar con 3 vueltas de pd.
(Santa Clara).
1ª y 3ª: 1 laz., 3 pd., 1 pdj. 3 pd.,
    1 laz., 1 pd.
2ª: al revés.
4ª: al derecho.
**Repetir el dibujo.**

Este punto se realiza sólo con un número de puntos puestos en la aguja divisible por diez más nueve puntos más dos puntos.

1ª : (x) 1 pd., 1 laz., 4 pd., 2 pdj.,
    1 dism. simple, 4 pd., 1 laz. (x), 1 pd.
2ª y pares: al revés.

Este punto se realiza sólo con un número de puntos puestos en la aguja divisible por trece más un punto más dos puntos de orillas.

**62**

**63**

1ª: (x) 3 pd., 2 pr. (x).
2ª y pares: como se presentan los puntos.
3ª: como se presentan los puntos.
5ª: (x) 1 laz., 1 dism. doble, 1 laz., 2 pr. (x).
**Repetir desde la primera vuelta.**

Este punto se realiza sólo con un número de puntos puestos en la aguja divisible por cinco.

1ª: 2 pd., (x) 1 laz., 1 dism. simple, 3 pd.,
   2 pdj., 1 laz., 1 pd. (x), 2 pdj., 1 laz., 2 pd.
2ª: (x) 3 pr., 1 laz., 2 prj., 1 pr., 2 prj.,
   1 laz. (x), 3 pr.
3ª: 4 pd., (x) 1 laz., 1 dism. doble,
   1 laz., 5 pd. (x), 4 pd.
4ª: Toda en pr.
5ª: (x) 3 pd., 2 pdj., 1 laz., 1 pd., 1 laz.,
   1 dism. simple (x), 3 pd.
6ª: 2 pr., (x) 2 prj., 1 laz., 3 pr., 1 laz.,
   2 prj., 1 pr. (x), 2 pr.
7ª: 1 pd., 2 pdj., (x) 1 laz., 5 pd., 1 laz.,
   1 dism. doble. (x), 1 dism. simple, 1 pd.
8º vuelta: Toda en pr.
**Repetir desde la primera vuelta.**

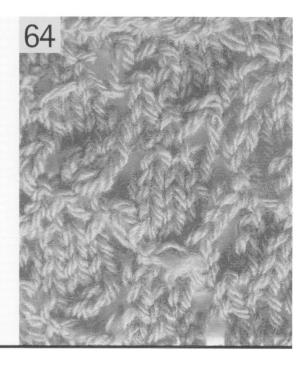

**64**

**65**

1ª: al derecho con lana celeste.
2ª: al revés con lana celeste.
3ª (derecho): poner la lana de color verde y
   tejer toda la vuelta de esta forma:
   1 laz., 2 pj., 1 laz., 2 pj.
4ª (revés): al derecho y cambiar la lana
   verde por la celeste.
**Repetir el dibujo.**

1ª, 3ª y 5ª: 5 pd., (x) tejer el segundo pd.
   por adelante, luego el primer pd., tejer
   el segundo pd. por atrás, luego el
   primer pd., 4 pd. (x).
2ª y todas las pares: todo en pr.
7ª, 9ª y 11ª: 1 pd., (x) tejer el segundo pd.
   por adelante, luego el primer pd.,
   tejer el segundo pd. por atrás, luego el
   primer pd., 4 pd. (x).
**Repetir desde la primera vuelta.**

**66**

**67**

1ª: 2 pr., 2 pd., 7 pr., 5 pd., 7 pr., 2 pd., 2 pr.

2ª y todas las pares: Tejer los puntos
como se presentan.

3ª: 2 pr., 2 pd., 7 pr., pasar 2 p. a un palillo
y dejarlos por adelante, 2 pd., 1 pr.,
los 2 pd. del palillo, 7 pr., 2 pd., 2 pr.

5ª: 2 pr., 2 pd., 6 pr., 1 cruce derecho
(pasar 1 p. a un palillo y dejarlo por
atrás, tejer 2 pd., luego el pr. del
palillo), 1 pd., 1 cruce izquierdo, (pasar
2 p. a un palillo y dejarlos por adelante,
tejer 1 pr., luego los 2 pd. del palillo),
6 pr., 2 pd., 2 pr.

7ª: 2 pr., 2 pd., 5 pr., 1 cruce derecho,
1 pd., 1 pr., 1 pd., 1 cruce izquierdo,
5 pr., 2 pd., 2 pr.

9ª: 2 pr., 2 pd., 4 pr., 1 cruce derecho, 1 pd.,
1 pr., 1 pd., 1 pr., 1 pd., 1 cruce izquierdo,
4 pr., 2 pd., 2 pr.

11ª: 2 pr., 2 pd., 3 pr., 1 cruce derecho,
1 pd., 1 pr., 1 pd., 1 pr., 1 pd., 1 pr.,
1 cruce izquierdo, 3 pr., 2 pd., 2 pr.

13ª: 2 pr., 2 pd., 2 pr., 1 cruce derecho,
1 pd., 1 pr., 1 pd., 1 pr., 1 pd., 1 pr.,
1 pd., 1 pr., 1 pd., 1 cruce izquierdo,
2 pr., 2 pd., 2 pr.

15ª: 2 pr., 2 pd., 2 pr., 1 cruce izquierdo,
1 pr., 1 pd., 1 pr., 1 pd., 1 pr., 1 pd., 1 pr.,
1 pd., 1 pr., 1 cruce derecho, 2 pr.,
2 pd., 2 pr.

17ª: 2 pr., 2 pd., 3 pr., 1 cruce izquierdo,
1 pr., 1 pd., 1 pr., 1 pd., 1 pr., 1 pd., 1 pr.,
1 cruce derecho, 3 pr., 2 pd., 2 pr.

19ª: 2 pr., 2 pd., 4 pr., 1 cruce izquierdo,
1 pr., 1 pd., 1 pr., 1 pd., 1 pr.,
1 cruce derecho, 4 pr., 2 pd., 2 pr.

21ª: 2 pr., 2 pd., 5 pr., 1 cruce izquierdo,
1 pr., 1 pd., 1 pr., 1 cruce derecho, 5 pr.,
2 pd., 2 pr.

23ª: 2 pr., 2 pd., 6 pr., 1 cruce izquierdo,
1 pr., 1 cruce derecho, 6 pr., 2 pd., 2 pr.

25ª: 2 pr., 2 pd., 7 pr., pasar 2 p. a un
palillo y dejarlos por adelante, 2 pd.,
1 pr., luego los 2 pd. del palillo, 7 pr.,
2 pd., 2 pr.

**Repetir desde la primera vuelta.**

1ª: (x) 4 pr., una torzada de 4 pd., 4 pr. (x).

2ª y todas las pares: tejer los puntos
como se presentan.

3ª: 3 pr., 3 p. cruzados a la derecha,
3 p. cruzados a la izquierda, 3 pr.

5ª: 2 pr., 3 p. cruzados a la derecha, 2 pr.,
3 p. cruzados a la izquierda, 2 pr.

7ª: 1 pr., 3 p. cruzados a la derecha,
4 pr., 3 p. cruzados a la izquierda, 1 pr.

9ª: 3 p. cruzados a la derecha, 6 pr.,
3 p. cruzados a la izquierda.

11ª: 3 p. cruzados a la izquierda, 6 pr.,
3 p. cruzados a la derecha.

**Continuar cerrando el dibujo.**

1ª y siguientes: pd.

1ª: con lana azul, 1 pr., (x) 1 laz.,
pasar 1 p. sin tejer, 1 pr., cruzar
la laz. sobre los 2 p. (x).

2ª: toda en pr.

3ª: con lana ros, 2 pr., (x) 1 laz.,
pasar 1 p. sin tejer, 1 pr., cruzar
la laz. sobre los 2 p. (x).

4ª: toda en pr.

**Repetir desde la primera vuelta.**

**71**

1ª, 3ª, 5ª y 7ª: (x) 3 pr., bajar la hebra, pasar 1 p. sin tejer, subir la hebra, 3 pr., 6 pd. (x).

2ª y todas las pares: tejer los p. como se presentan y los p. que se pasaron sin tejer tejerlos en pr.

9ª: (x) 3 pr., bajar la hebra, pasar 1 p. sin tejer, subir la hebra, 3 pr., pasar 4 p. a un palillo, dejar los p. adelante, tejer 2 pd. del palillo, pasar 2 p. a la aguja de la mano izquierda y los otros 2 p. del palillo dejarlos por atrás, 2 pd., luego los 2 pd. del palillo.

**Repetir desde la primera vuelta.**

1ª: al derecho.

2ª: (x) 5 pd., 3 pr., 5 pd., 3 pr., 5 pd., 3 pr., (x).

3ª: 5 pd., 1 laz., 3 pdj., 1 laz., 5 pd., 1 laz., 3 pdj., 1 laz., 5 pd., 1 laz., 3 pdj., 1 laz., 5 pd.

4ª: (x) 5 pd., 3 pr. (x), 5 pd.

**Repetir desde la primera vuelta.**

**72**

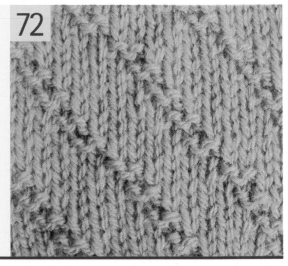

**73**

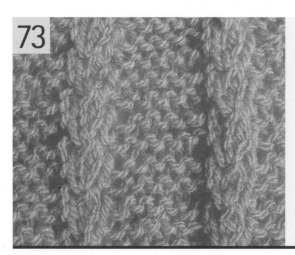

1ª: 2 pr., 4 pd., 2 pr., 4 pd.

2ª y todas las pares: al revés.

3ª: 1 pd., (x) 2 pr., 4 pd. (x).

5ª: 2 pd., (x) 2 pr., 4 pd. (x).

7ª: 3 pd., (x) 2 pr., 4 pd. (x).

9ª: (x) 4 pd., 2 pr. (x).

11ª: 2 pr., (x) 4 pd., 2 pr. (x).

**Repetir desde la tercera vuelta.**

1ª: 1 p. de orilla, (x) 1 pr., 1 pd.,
cruzar 6 p. (igual pasar 2 p. a ag. aux.
por delante del tejido, colocar los 2 p.
sig. en otra ag. aux. atrás, tejer al
derecho los 2 p. sig., tejer al revés
los 2 p. de la segunda ag. aux.
y al derecho los p. de la
primera ag. aux.).

2ª y pares: tejer los puntos como
se presentan.

3ª: tejer los puntos como
se presentan.

5ª: 1 p. de orilla, 1 pr., 3 pd., 2 pr.,
cruzar 6 p. (igual, pasar 2 p. a la
primera ag. aux. por atrás del tejido,
pasar los 2 p. sig. en segunda ag. aux.
atrás, tejer al derecho los 2 p. sig.,
al revés los 2 p. de la segunda ag. aux.
y al derecho los p. de la primera
aguja auxiliar), 2 pr., 3 pd., 1 pr.

6ª, 7ª y 8ª: tejer los puntos como
se presentan.

**Repetir desde la primera vuelta.**

1ª: (x) 1 pd., 1 pr. (x).
2ª y siguientes: tejer los puntos como
se presentan.

1ª y 3ª : (x) 1 pd., 1 pr. (x).

2ª : Tejer los puntos como
se presentan.

4ª: al derecho.

**Repetir siempre estas cuatro vueltas.**

1ª: 1 pd., 9 pr., 1 pd., 9 pr., 1 pd.

2ª: 2 pd., 7 pr., 3 pd., 7 pr., 2 pd.

3ª: 3 pd., 5 pr., 5 pd., 5 pr., 3 pd.

4ª: 4 pd., 3 pr., 7 pd., 3 pr., 4 pd.

5ª: 5 pd., aumentar 1 p. al derecho
sacado de la hebra de entre
dos puntos, 2 pdj., 8 pd.,
aumentar 1 p. al derecho
sacado de la hebra de entre
dos puntos, 2 pdj., 4 pd.

6ª: 5 pr., 1 pd., 9 pr., 1 pd., 5 pr.

7ª: 4 pr., 3 pd., 7 pr., 3 pd., 4 pr.

8ª: 3 pr., 5 pd., 5 pr., 5 pd., 3 pr.

9ª: 2 pr., 7 pd., 3 pr., 7 pd., 2 pr.

10ª: 1 pr., 9 pd., aumentar 1 p.
al derecho sacado de la hebra
de entre dos puntos, 2 pdj., 8 pd., 1 pr.

**78**

**1ª:** 2 pd., (x) 1 laz., 2 pdj., 1 laz.,
2 pdj., 1 laz., 1 pd., 1 laz., 2 pd., 2 pdj.,
3 pd., 2 pd., 2 pd., 1 laz., 2 pdj., 1 laz.,
2 pdj., 2 pd.,

**2ª y todas las pares:** 2 pd., 20 pr., 2 pd.

**3ª:** 2 pd., (x) 1 laz., 2 pdj., 1 laz.,
2 prj., 1 laz., 3 pd., 1 laz., 2 pd., 2 pdj.,
1 pd., 2 pdj., 2 pd., 1 laz., 2 pdj.,
1 laz., 2 pdj.

**5ª:** 2 pd., (x) 1 laz., 2 pdj., 1 laz., 2 prj.,
1 laz., 5 pd., 1 laz., 2 pd., 1 dism. doble,
1 laz., 2 pdj., 1 laz., 2 pdj., 1 laz., 2 pdj.

**7ª:** 2 pd., (x) 2 pdj., 1 laz., 2 pdj.,
1 laz., 2 pdj., 2 pdj., 3 pd., 2 pdj., 2 pd.,

1 laz., 1 pd., 1 laz., 2 pdj., 1 laz., 1 pd.,
1 laz., 1 pd.

**9ª:** 2 pd., (x) 2 pdj., 1 laz., 2 pdj.,
1 laz., 2 pd., 2 pdj., 1 pd., 2 pdj., 2 pd.,
1 laz., 3 pd., 1 laz., 2 pdj., 1 laz.,
2 pdj., 1 laz.

**11ª:** 2 pd., (x) 2 pdj., 1 laz., 2 pdj., 1 laz.,
2 pdj., 1 dism. doble, 2 pd., 1 laz.,
5 pd., 1 laz., 2 pdj., 1 laz., 2 pdj., 1 laz.

**13ª:** 2 pd., (x) 1 laz., 1 pd., 1 laz.,
2 pdj., 1 laz., 1 pd., 1 laz., 2 pd., 2 pdj.,
3 pd., 2 pdj., 2 pdj., 2 pd., 1 laz.,
2 pdj., 1 laz.

---

Se teje con lanas de dos colores,
siempre en punto jersey.

**1º y 2º:** con lana verde.

**3º:** con lana rosa, (x) 1 p., pasar 1 p.
sin tejer (x).

**4º (revés):** 1 p. y dejar sin tejer el que
no se tejió con lana rosa.

**Repetir el dibujo contrariando
los puntos.**

**79**

1ª: al derecho.

2ª: al revés.

3ª: (x) 2 pdj., 2 pdj., 1 laz., 1 pd.,
1 laz., 1 pd., 1 laz., 1 pd., 1 laz., 2 pdj.,
2 pdj. (x).

4ª: al derecho.

**Repetir desde la primera vuelta.**

Este punto se realiza sólo con un número de
puntos puestos en la aguja divisible por once.

1ª: (x) 1 pr., 2 pd. (x).

2ª: sin contrariar.

3ª: 1pd., (x) 1 pr., 2 pd. (x).

4ª: sin contrariar.

5ª: 2 pd., (x) 1 pr., 2 pd. (x)

6ª: sin contrariar.

7ª: igual que la 3ª.

8ª: igual que la 4ª.

9ª: igual que la 1ª.

10ª: igual que la 2ª.

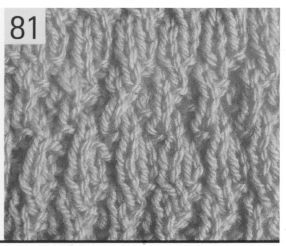

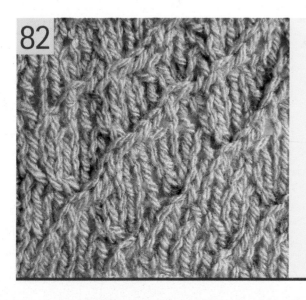

1ª: 2 pd., (x), 1 laz., 2 pdj., 1 pd.,
2 pdj., 1 laz., 1 pd. (x).

2ª y todas las pares: al revés.

3ª: (x) 3 pd., tejer el tercer pd.
por adelante, luego el primero
y segundo pd. (x).

5ª: 2 pd., (x) 2 pdj., 1 laz., 1 pd.,
1 laz., 2 pdj., 1 pd. (x).

7ª: 6 pd., (x) tejer el tercer pd.
por adelante, luego el primero y
segundo pd., 3 pd. (x).

**Repetir desde la primera vuelta.**

1ª: 2 pd., (x) 1 łaz., 2 pdj., 1 laz., 2 pdj., 1 laz.,
1 pd., 1 laz., 2 pd., 2 pdj., 3 pd., 2 pd.,
2 pd., 1 laz., 2 pdj., 1 laz. 2 pdj. (x).

2ª y todas las pares: (x) 2 pd., 20 pr., 2 pd (x).

3ª: 2 pd., (x) 1 laz., 2 pdj., 1 laz., 2 prj., 1 laz.,
3 pd., 1 laz., 2 pd., 2 pdj., 1 pd., 2 pdj., 2 pd.,
1 laz., 2 pdj., 1 laz., 2 pdj. (x)

5ª: 2 pd., (x) 1 laz., 2 pdj., 1 laz., 2 prj., 1 laz.,
5 pd., 1 laz., 2 pd., 1 dism.doble, 1 laz.,
2 pdj., 1 laz., 2 pdj., 1 laz., 2 pdj. (x)

7ª: 2 pd., (x) 2 pdj., 1 laz., 2 pdj., 1 laz., 2 pdj.,
2 pdj., 3 pd., 2 pdj., 2 pd., 1 laz., 1 pd.,
1 laz., 2 pdj., 1 laz., 1 pd., 1 laz., 1 pd (x).

9ª: 2 pd., (x) 2 pdj., 1 laz., 2 pdj., 1 laz., 2 pd.,
2 pdj., 1 pd., 2 pdj., 2 pd., 1 laz., 3 pd.,
1 laz., 2 pdj., 1 laz., 2 pdj., 1 laz (x).

11ª: 2 pd., (x) 2 pdj., 1 laz., 2 pdj.,
1 laz., 2 pd., 1 dism. doble, 2 pd., 1 laz.,
5 pd., 1 laz., 2 pdj., 1 laz., 2 pdj., 1 laz (x).

13ª: 2 pd., (x) 1 laz., 1 pd., 1 laz., 2 pdj.,
1 laz., 1 pd., 1 laz., 2 pd., 2 pdj., 3 pd.,
2 pdj., 2 pdj., 2 pd., 1 laz., 2 pdj., 1 laz (x).

83

84

1ª, 3ª, 7ª y 9ª: al derecho.

2ª, 4ª, 6ª, 8ª y 10ª: al revés.

5ª: (x) un cruce (tejer por delante de la
labor, del derecho. el tercer p. de la
aguja izquierda y sin sacarlo de la aguja,
tejer también del derecho el primero y
segundo puntos. Sacarlos a la vez de
la aguja), 3 pd. (x).

11ª: (x) 3 pd., un cruce (x).

12ª: al revés.

**Repetir estas doce vueltas.**

*Este punto se realiza sólo con un número de puntos
puestos en la aguja divisible por seis más tres puntos.*

85

Vuelta base (revés): (x) 3 pd., 2 pr. (x), 3 pd.

1ª (derecho): (x) 3 pr., tejer del derecho el segundo punto de la ag. izquierda y, sin sacarlo de la aguja, tejer el primero del derecho tomando sólo la hebra de atrás (x), 3 pr.

2ª: tejer los p. como se presentan.

**Repetir siempre estas dos vueltas.**

*Este punto se realiza sólo con un número de puntos puestos en la aguja divisible por cinco más tres puntos.*

86

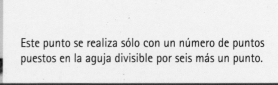

1ª y 9ª (derecho): color amarillo.

2ª y 10ª (revés): color amarillo.

3ª, 5ª y 7ª: color azul, 3 pd., (x) pasar 1 punto sin hacer pinchándolo como si se fuera a hacer del revés, 5 pd (x), 3 pd.

4ª, 6ª y 8ª: color azul, del derecho, pasando sin tejer los mismos p. de la vuelta anterior y colocando la hebra por delante de la labor mientras se pasan.

11ª, 13ª y 15ª: color azul, 1 pd., (x) 5 pd, pasar 1 p. sin hacer, pinchándolo como si se fuera a tejer del revés (x), 1 pd.

12ª, 14ª y 16ª: como la 4ª, 6ª y 8ª.

**Repetir siempre las 16 vueltas.**

*Este punto se realiza sólo con un número de puntos puestos en la aguja divisible por seis más un punto.*

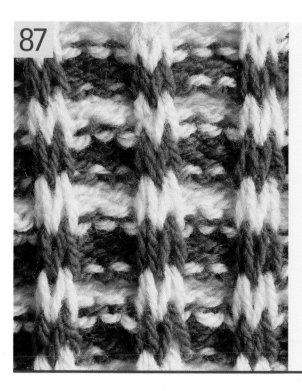

**87**

1ª: con rosa, 1 p. de orilla, 3 pr., (x) 2 pd., 3 pr. (x), 1 p. de orilla.

2ª y todas las pares: 1 p. de orilla, 3 pd., (x) traer la hebra hacia adelante y pasar sin tejer 2 p. pinchándolos como si se fueran a tejer del revés, volver la hebra atrás, 3 pd. (x), 1 p. de orilla.

3ª: 1 p. de orilla, 3 pr., (x) poner la hebra detrás de la labor, pasar sin tejer 2 p. pinchándolos como si se fueran a tejer del revés, 3 pr. (x), 1 p. de orilla.

A partir de la 4ª cambiar a lana violeta.

**Repetir siempre las 4 vueltas.**

Este punto se realiza sólo con un número de puntos puestos en la aguja divisible por cinco más dos puntos más dos puntos de orillas.

1ª y 3ª: al derecho.

2ª y todas las pares: al revés.

5ª: (x) 1 pr., pasar 1 p. sin tejer (x).

7ª: 2 pr., (x) pasar 1 p. sin tejer, 1 pr. (x).

9ª: igual a la 5ª.

11ª: igual a la 7ª.

**Repetir desde la primera vuelta.**

**88**

**89**

1ª y 3ª: al revés.

2ª: (x) tejer 3 veces el 1er. p. (1 vez derecho, 1 vez revés, 1 vez derecho), 3 prj. (x).

4ª: (x) 3 prj., 1 pr., tejer 3 veces el p. siguiente (x).

**Repetir estas 4 vueltas.**

1ª: (x) 1 pd., 1 laz., 3 pd., 1 dism.
   doble, 3 pd., 1 laz. (x).
2ª y todas las pares: al revés.
3ª: 2 pd., (x) 1 laz., 2 pd., 1 dism.
   doble, 2 pd., 1 laz., 3 pd. (x).
5ª: 3 pd., (x) 1 laz., 1 pd., 1 dism.
   doble, 1 pd., 1 laz., 5 pd. (x).
**Repetir desde la primera vuelta.**

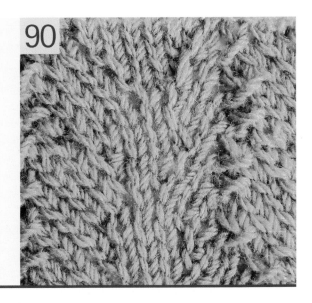

1ª: con celeste, 1pd., (x) pasar
   1 p. sin tejer, 3 pd. (x).
2ª y todas las pares: al revés, y pasar
   sin tejer los p. que no se tejieron en la
   vuelta anterior.
3ª: con turquesa, (x) 3 pd.,
   pasar 1p. sin tejer (x).
5ª: igual a la 1ª.
7ª: con rosa, (x) 3 pd.,
   pasar 1 p. sin tejer (x).
**Repetir desde la primera vuelta.**

1ª: (x) 4 pd., 4 pr. (x).
2ª, 3ª y 4ª: tejer como se presentan
   los puntos.
5ª: (x) 4 pr., 4 pd. (x).
6ª, 7ª, y 8ª: tejer como se presentan
los puntos.
9ª: repetir desde la 1ª vuelta.

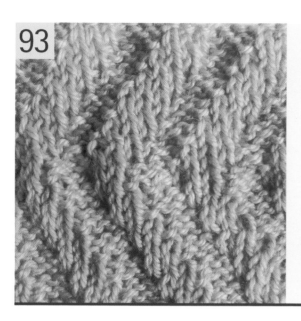

**93**

1ª: (x) 3 pd., 3 pr. (x).
2ª y todas las pares: tejer los puntos
   como se presentan.
3ª: 2 pd., (x) 3 pr., 3 pd. (x).
5ª: 1 pd., (x) 3 pr., 3 pd. (x).
7ª: (x) 3 pr., 3 pd. (x).
9ª: 2 pr., (x) 3 pd., 3 pr. (x).
11ª: 1 pr., (x) 3 pd., 3 pr. (x).
13ª: (x) 3 pd., 3 pr. (x).
**Repetir estas vueltas desplazando
los puntos en sentido contrario.**

1ª: (x) 2 pd., 1 pr. (x).
2ª y todas las pares: tejer los p.
   como se presentan.
3ª: (x) 1 pr., 1 pd. (x).
**Repetir desde la primera vuelta.**

**94**

**95**

1ª (derecho): 1 p., (x) dejar caer
   2 p. adelante, tejer 1 p., levantar los
   2 p. caídos y tejerlos, 5 pd. (x).
   Las vueltas del revés se tejen al revés.
   Se desplaza 1 p. el motivo hacia
   la izquierda en las vueltas del derecho.
   Luego de la 15ª vuelta se repite el dibujo.

1ª: (x) 2 pr., 6 pd. (x).

2ª y todas las pares: tejer los
    puntos como se presentan.

3ª: (x) 2 pr., pasar 3 p. a un palillo y
    dejarlos por adelante, tejer los 3 pd.,
    luego los 3 pd. del palillo, 2 pr., 6 pd. (x).

5ª: (x) 2 pr., 6 pd. (x).

7ª: (x) 2 pr., 6 pd., 2 pr., pasar 3 p. a
    un palillo y dejarlos por atrás, 3 pd.,
    luego los 3 pd. del palillo (x).

**Repetir desde la primera vuelta.**

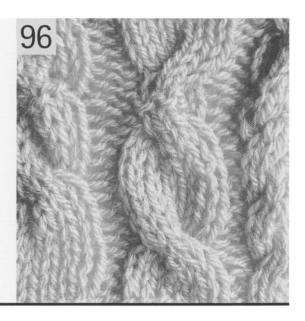

1ª: con lana lila, (x) 3 pd., pasar
    1 p. sin tejer (x), 3 pd.

2ª: (x) 3 pd., subir la hebra,
    pasar 1 p. sin tejer, bajar la hebra (x).

3ª: con lana violeta, 1 pd., (x)
    pasar un p. sin tejer, 3 pd. (x), 1 p.
    sin tejer, 1 pd.

4ª: 1 pd., (x) subir la hebra, pasar
    1 p. sin tejer, bajar la hebra, 3 pd (x).

**Repetir desde la primera vuelta.**

1ª: (x) 1 pd., 1 pr. (x), 1 pr.

2ª: (x) 1 pd. abajo (insertar la aguja
    en medio del pd. una vuelta
    más abajo, tejer juntos el pd. y la brida
    que se suelta), 1 pr. (x), 1 pr.

**Repetir siempre la segunda vuelta.**

## 99

1ª: 7 pr., 4 pd. (terminar la vuelta con 7 pr.).

2ª: 3 pd., 1 pr., 3 pd., 4 pr.

3ª: como la 1ª.

4ª: como la 2ª.

5ª: 7 pr., (dejar en suspenso un p. en la parte del derecho del tejido, 1 pd. y tejer al derecho el p. que se quedó en suspenso, dejar en suspenso un p. en la parte del revés del tejido, 1 pd. y tejer al derecho el p. dejado en suspenso).

**Repetir el dibujo.**

## 100

1ª: (x), 1 pd., 1 pr., (x).

2ª: Contrariar los puntos según se presentan.

**Repetir las dos vueltas.**

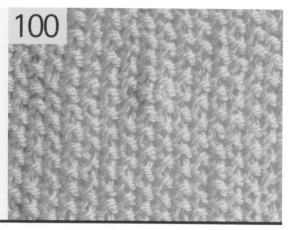

## 101

1ª: al derecho.

2ª: al revés.

**Repetir las dos vueltas.**

1ª: (x) 2 pd., 2 pr. (x), 2 pr.
2ª: (x) 2 pd., 2 pr. (x).
**Repetir las dos vueltas.**

**102**

**103**

1ª: (x) 5 pd., 5 pr. (x).
2ª y todas las pares: tejer
      los p. como se presentan.
3ª: (x) 4 pd., 1 pr., 1 pd., 4 pr. (x).
5ª: (x) 3 pd., 2 pr., 2 pd., 3 pr. (x).
7ª: (x) 2 pd., 3 pr., 3 pd., 2 pr. (x).
9ª: (x) 1 pd., 4 pr., 4 pd., 1 pr. (x).
11ª: (x) 5 pr., 5 pd. (x).
13ª: (x) 4 pr., 1 pd., 1 pr., 4 pd. (x).
15ª: (x) 3 pr., 2 pd., 2 pr., 3 pd. (x).
17ª: (x) 2 pr., 3 pd., 3 pr., 2 pd. (x).
19ª: (x) 1 pr., 4 pd., 4 pr., 1 pd. (x).
**Repetir desde la primera vuelta.**

1ª: 1 pd., (x) 1 laz., 1 dism. simple, 1 laz.,
1 dism. simple (x).
2ª y todas las pares: al revés.
3ª: 1 pd., (x) 2 pdj., 1 laz., 2 pdj., 1 laz. (x).
**Repetir desde la primera vuelta.**

**104**

1ª: (x) 1pd., 1 dism. simple,
3 pd., 1 laz., 1 pd., 1 laz., 3 pd., 2 pdj.,
1 pd. (x).

2ª: (x) 1 pr., 2 prj., 2 pr., 1 laz.,
3 pr., 1 laz., 2 pr., 2 prj., 1 pr. (x).

3ª: (x) 1 pd., 1 dism. simple,
1 pd., 1 laz., 5 pd., 1 laz., 1 pd., 2 pdj.,
1 pd. (x).

4ª: (x) 1 pr., 2 prj., 1 laz., 7 pr.,
1 laz., 2 prj. tomados por atrás,
1 pr. (x).

5ª: (x),1 pd., 1 laz., 3 pd., 2 pdj.,
1 pd., 1 dism. simple, 3 pd., 1 laz.,
1 pd. (x).

6ª: (x) 2 pr., 1 laz., 2 pr., 2 prj. tomados
por atrás, 1 pr., 2 prj., 2 pr., 1 laz.,
2 pr. (x).

7ª: (x) 3 pd., 1 laz., 1 pd., 2 pdj.,
1 pd., 1 dism. simple, 1 pd., 1 laz.,
3 pd. (x).

8ª: (x),4 pr., 1 laz., 2 prj. tomados
por atrás, 1 pr., 2 prj., 1 laz., 4 pr. (x).

**Repetir desde la primera vuelta.**

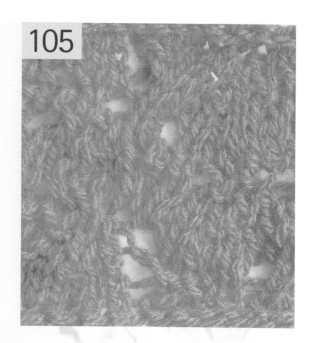

**105**

**106**

1ª: 2 pr., 1 pd., 1 laz., 1 pd.
2ª: 3 pr., 2 pd.
3ª: 2 pr., 1 p. sin tejer, 2 pd., pasar
el p. sin tejer sobre los 2 p. seguidos.
4ª: 2 pr., 2 pd.
**Repetir el dibujo.**

1ª (revés): con lana turquesa, toda en pr.

2ª: con lana roja, (x), 2 pd.,
    pasar 1 p. sin tejer (x).

3ª: toda en pr. y los p. que se
    pasaron sin tejer en la vuelta anterior
    se pasan sin tejer.

4ª: con lana turquesa, (x) tejer el
    3er. pd. por adelante, luego el 1ro.
    y 2do. pd. (x).

**Repetir desde la primera vuelta.**

107

108

1ª: sacar el 1er. p. sin tejer, (x) 3 pd.,
    tomar el primero de los 3 pd.
    y pasarlo por encima de los otros 2
    sacándolos de la aguja, 1 laz. (x).

2ª: al revés.

**Repetir el dibujo.**

1ª: 1 pd., (x) 2 pdj., 2 pd., 1 laz., 2 pd. (x),
    1 laz., 4 pd.

2ª: 1 pr., (x) 2 prj., 2 pr., 1 laz., 2 pr. (x),
    1 laz., 4 pr.

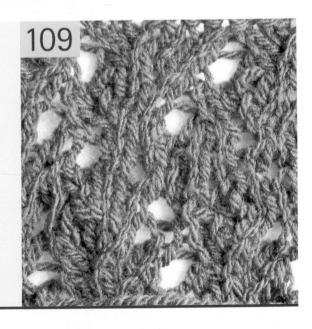

109

Este punto se realiza sólo con un número de
puntos puestos en la aguja divisible por seis más
tres puntos.

**110**

1ª: con lana rosa, (x) 3 pd.,
   1 p. sin tejer (x).
2ª y todas las pares: todas en pr.,
   y se pasa sin tejer el p. que no se tejió
   en la vuelta anterior.
3ª: con lana marrón, 2 pd., (x)
   1 p. sin tejer (x).
5ª: con lana rosa, 1 pd., (x) pasar 1 p. sin
   tejer, 3 pd. (x).
7ª: con lana marrón, (x) pasar 1 p. sin
   tejer, 3 pd. (x).
**Repetir desde la primera vuelta.**

1ª y 3ª: (x) 5 pd., 3 pr. (x).
2ª y todas las pares: tejer los puntos
   como se presentan.
5ª y 7ª: (x) 3 pr., 5 pd. (x).
**Repetir desde la primera vuelta.**

**111**

**112**

1ª: 4 pd., (x) 2 pr., 4 pd (x).
2ª: sin contrariar.
3ª: 3 pd., (x) 2 pr., 4 pd. (x).
4ª: sin contrariar.
5ª: 2 pd., (x) 2 pr., 4 pd. (x).
6ª: sin contrariar.
7ª: 1 pd., (x) 2 pr., 4 pd. (x).
8ª: sin contrariar.
9ª: (x) 2 pr., 4 pd. (x).
10ª: sin contrariar.
**Repetir el dibujo.**

**113**

1ª: 3 pd., (x) 1 laz., 2 pdj., 5 pd. (x).

2ª y pares: al revés.

3ª: 3 pd., (x) 1 laz., 1 pd., 1 dism. simple, 4 pd. (x).

5ª: 3 pd., (x) 1 laz., 2 pd., 1 dism. simple, 3 pd. (x).

7ª: 3 pd., 1 laz, 3 pd., 1 dism. simple, 2 pd. (x).

9ª: 3 pd., (x) 1 laz., 4 pd., 1 dism. simple, 1 pd. (x).

11ª: 3 pd., (x) 1 laz., 5 pd., 1 dism. simple, (x).

**Repetir el dibujo.**

**114**

1ª: 5 pd., 5 p. arroz.

2ª: 5 p. arroz, 5 pr.

3ª: 4 pd., 5 p. arroz, 1 pd.

4ª: 1 pr., 5 p. arroz, 4 pr.

5ª: 3 pd., 5 p. arroz, 2 pd.

6ª: 2 pr., 5 p. arroz, 3 pr.

7ª: 2 pd., 5 p. arroz, 2 pd.

8ª: 3 pr., 5 p. arroz, 2 pr.

9ª: 1 pd., 5 p. arroz, 4 pd.

10ª: 4 pr., 5 p. arroz, 1 pr.

11ª: 2 pd., 5 p. arroz, 3 pd.

12ª: 3 pr., 5 p. arroz, 2 pr.

13ª: 3 pd., 5 p. arroz, 2 pd.

14ª: 2 pr., 5 p. arroz, 3 pr.

15ª: 4 pd., 5 p. arroz, 1 pd.

16ª: 1 pr., 5 p. arroz, 4 pr.

17ª: 5 pd., 5 p. arroz.

18ª: 5 p. arroz, 5 pr.

**Repetir el dibujo.**

**115**

1ª: (x) 2 pd., 1 laz., 3 pd., pasar la laz.
   sobre los últimos 3 pd. (x).
2ª: al revés.
Repetir estas dos vueltas
desplazando la laz. 1 p.
hacia la derecha en cada vuelta.

**116**

1ª: 1 pr., 2 pd., 3 pr., 2 pd.
2ª: 2 pr., 2 pd., 2 pr., 2 pd.
3ª: 3 pr., 2 pd., 1 pr., 2 pd.
4ª: 4 pr., 4 pd., 4 pr., 4 pd.
5ª: 2 pr., 1 pd., 2 pr., 3 pd.
6ª: igual a la 2ª.
7ª: 2 pr., 3 pd., 2 pr., 1 pd.
8ª: 2 pd., 4 pr., 4 pd., 4 pr., 2 pd.
9ª: 2 pr., 2 pd., 1 pr., 2 pd., 1 pr.
10ª: igual a la 2ª.
11ª: 1 pd., 1 pr., 2 pd., 3 pr., 1 pd.
12ª: 4 pd., 4 pr., 4 pd., 4 pr.
13ª: 1 pr., 3 pd., 2 pr., 1 pd., 1 pr.
14ª: igual a la 2ª.
15ª: 1 pd., 2 pr., 1 pd., 2 pr., 2 pd.
16ª: 2 pr., 4 pd., 4 pr., 4 pd., 2 pr.

**117**

1ª: 3 pr., 1 pd., 2 pr., 7 pd., 2 pr., 1 pd., 3 pr., 1 pd.

2ª: 1 pr., 3 pd., 4 pr., 2 pd., 1 pr., 2 pd., 4 pr., 3 pd.

3ª: 3 pr., 4 pd., 2 pr., 1 pd., 2 pr., 4 pd., 3 pr., 1 pd.

4ª: 1 pr., 3 pd., 3 pr., 2 pd., 3 pr., 2 pd., 3 pr., 3 pd.

5ª: 3 pr., 3 pd., 2 pr., 3 pd., 2 pr., 3 pd., 3 pr., 1 pd.

6ª: 1 pr., 3 pd., 2 pr., 2 pd., 5 pr., 2 pd., 2 pr., 3 pd.

7ª: 3 pr., 2 pd., 2 pr., 5 pd., 2 pr., 2 pd., 3 pr., 1 pd.

8ª: 1 pr., 3 pd., 1 pr., 2 pd., 7 pd., 2 pr., 1 pd., 3 pr.

9ª: 3 pr., 1 pd., 2 pr., 7 pd., 2 pr., 1 pd., 3 pr., 1 pd.

**Repetir desde la segunda vuelta.**

**118**

1ª: 3 pd., 1 pr., 2 pd.

2ª: 1 pr., 3 pd., 2 pr.

3ª: 2 pd., 3 pr., 1 pd.

4ª: 2 pd., 1 pr., 2 pd., 1 pr.

5ª: 1 pd., 2 pr., 1 pd., 2 pr.

6ª: 1 pd., 3 pr., 2 pd.

7ª: 2 pr., 3 pd., 1 pr.

8ª: 5 pr., 1 pd.

9ª: 1 pr., 5 pd.

10ª: 1 pd., 3 pr., 2 pd.

11ª: 2 pr., 3 pd., 1 pr.

12ª: 2 pd., 1 pr., 2 pd., 1 pr.

13ª: 1 pd., 2 pr., 1 pd., 2 pr.

14ª: 1 pr., 3 pd., 2 pr.

15ª: 2 pd., 3 pr., 1 pd.

16ª: 2 pr., 1 pd., 3 pr.

**119**

1ª: 1 pd., 1 laz., 1 dism. simple, 3 pd.,
   2 pdj., 1 laz.

2ª y todas las pares: al revés.

3ª: 2 pd., 1 laz., 1 dism. simple, 1 pd.,
   2 pdj., 1 laz., 1 pd.

5ª: 3 pd., 1 laz., 1 dism. doble, 1 laz., 2 pd.

7ª: 2 pd., 2 pdj., 1 laz., 1 pd., 1 laz.,
   1 dism. simple, 1 pd.

9ª: 1 pd., 2 pdj., 1 laz., 3 pd., 1 laz.,
   1 dism. simple.

11ª: 2 pdj., (x) 1 laz., 5 pd., 1 laz.,
   1 dism. doble (x).

1ª y 3ª: al derecho.
2ª: 3 pd., (x) 3 pr., 3 pd. (x).
4ª: 3 pr., (x) 3 pd., 3 pr. (x).
**Repetir estas cuatro vueltas.**

**120**

**121**

1ª: (x) 2 pd., 2 pr. (x).

2ª: sin contrariar.

3ª: (x) 2 pd., 2 pr., 3 pd., 3 pr., 4 pd.,
   2 pr., 2 pd., 2 pr. (x).

4ª: sin contrariar.

5ª: igual que la 1ª.

6ª: igual que la 2ª.

7ª: igual que la 3ª.

8ª: igual que la 4ª.

9ª: igual que la 1ª.

10ª: igual que la 2ª.

**Repetir el dibujo.**

**122**

1ª: 1 pd., (x) 15 pd., 1 laz. (x).

2ª y todas las pares: al revés.

3ª: 1 pd., 1 laz., (x) 2 pdj., 13 pd., 2 pdj., 1 laz., 1 pd., 1 laz. (x).

5ª: 2 pd., 1 laz., (x) 2 pdj., 11 pd., 2 pdj., 1 pd., 1 laz., 3 pd., 1 laz. (x).

7ª: 3 pd., 1 laz., (x) 2 pdj., 9 pd., 2 pdj., 1 laz., 5 pd., 1 laz. (x).

9ª: 4 pd., 1 laz., (x) 2 pdj., 7 pd., 2 pdj., 1 laz., 7 pd., 1 laz. (x).

11ª: 5 pd., 1 laz., (x) 2 pdj., 5 pd., 2 pdj., 1 laz., 9 pd., 1 laz. (x).

13ª: 6 pd., 1 laz., (x) 2 pdj., 3 pd., 2 pdj., 1 laz., 11 pd., 1 laz. (x).

15ª: 7 pd., 1 laz., (x) 3 pdj., 1 laz., 13 pd., 1 laz. (x).

17ª: 8 pd., 1 laz., (x) cerrar el p. siguiente sobre el calado de la vuelta anterior, 15 pd., 1 laz. (x).

19ª: 6 pd., 2 pdj., 1 laz., (x) 2 pdj., 13 pd., 2 pdj., 1 laz. (x).

21ª: 5 pd., 2 pdj., 1 laz., (x) 3 pd., 1 laz., 2 pdj., 11 pd., 2 pdj., 1 laz. (x).

23ª: 4 pd., 2 pdj., 1 laz., (x) 5 pd., 1 laz., 2 pdj., 9 pd., 2 pdj., 1 laz. (x).

25ª: 3 pd., 2 pdj., 1 laz., (x) 7 pd., 1 laz., 2 pdj., 7 pd., 2 pdj., 1 laz. (x).

27ª: 2 pd., 2 pdj., 1 laz., (x) 9 pd., 1 laz., 2 pdj., 5 pd., 2 pdj., 1 laz. (x).

29ª: 1 pd., 2 pdj., 1 laz., (x) 11 pd., 1 laz., 2 pdj., 1 pd., 2 pdj., 1 laz. (x).

31ª: 1 pd., 1 laz., (x) 13 pd., 1 laz., 3 pdj., 1 laz. (x).

33ª: 1 pd., 1 laz., 15 pd., 1 laz., (x) cerrar el p. siguiente sobre el calado de la vuelta anterior (x).

**123**

1ª: 1 pd., (x) dejar caer 2 p. adelante, tejer 1 pd., levantar los 2 p. caídos y tejerlos, 5 pd. (x).

2ª y pares: al revés.

3ª: 2 pd., (x) dejar caer 2 p. adelante, tejer 1 pd., levantar los 2 p. caídos y tejerlos, 5 pd. (x).

5ª: 3 pd., (x) dejar caer 2 p. adelante, tejer 1 pd., levantar los 2 p. caídos y tejerlos, 5 pd. (x).

7ª: 4 pd., (x) dejar caer 2 p. adelante, tejer 1 pd., levantar los 2 p. caídos y tejerlos, 5 pd. (x).

9ª: 5 pd., (x) dejar caer 2 p. adelante, tejer 1 pd., levantar los 2 p. caídos y tejerlos, 5 pd. (x).

11ª: 6 pd., (x) dejar caer 2 p. adelante, tejer 1 pd., levantar los 2 p. caídos y tejerlos, 5 pd. (x).

13ª: 7 pd., dejar caer 2 p. adelante, tejer 1 pd., levantar los 2 p. caídos y tejerlos, 5 pd. (x).

15ª: 8 pd., (x) dejar caer 2 p. adelante, tejer 1 pd., levantar los 2 p. caídos y tejerlos, 5 pd. (x).

**124**

1ª: 7 pr., 1 pd.
2ª: 7 pd., 1 pr.
3ª: 1 pd., 5 pr., 3 pd., 5 pr., 3 pd.
4ª: 1 pr., 5 pd., 3 pr., 5 pd., 3 pr.
5ª: 2 pd., 3 pr., 5 pd., 3 pr., 5 pd.
6ª: 2 pr., 3 pd., 5 pr., 3 pd., 5 pr.
7ª: 3 pd., 1 pr., 7 pd., 1 pr., 7 pd.
8ª: 3 pr., 1 pd., 7 pr., 1 pd., 7 pr.
9ª: 7 pd., 1 pr., 7 pd., 1 pr.
10ª: 7 pr., 1 pd., 7 pr., 1 pd.
11ª: 1 pr., 5 pd., 3 pr., 5 pd., 3 pr.
12ª: 1 pd., 5 pr., 3 pd., 5 pr., 3 pd.
13ª: 2 pr., 3 pd., 5 pr., 3 pd., 5 pr.
14ª: 2 pd., 3 pr., 5 pd., 3 pr., 5 pd.
15ª: 3 pr., 1 pd., 7 pr., 1 pd., 7 pr.
16ª: 3 pd., 1 pr., 7 pd., 1 pr., 7 pd.
**Repetir el dibujo.**

**125**

1ª: 1 pr., 7 pd., 1 pr., 1 pd., 1 pr.,
   1 pd., 1 pr., 1 pd.

2ª y 12ª: 1 pd., 1 pr., 1 pd., 1 pr., 1 pd.,
   1 pr., 1 pd., 5 pr., 1 pd., 1 pr.

3ª y 11ª: 2 pd., 1 pr., 5 pd., 1 pr., 1 pd.,
   1 pr., 1 pd., 1 pr., 1 pd.

4ª y 10ª: 1 pd., 1 pr., 1 pd., 1 pr., 1pd.,
   1 pr., 1 pd., 3 pr., 1 pd., 3 pr.

5ª y 9ª: 4 pd., 1 pr., 3 pd., 1 pr., 1 pd.,
   1 pr., 1 pd., 1 pr., 1 pd.

6ª y 8ª: 1 pd., 1 pr., 1 pd., 1 pr., 1 pd.,
   1 pr., 1 pd., 1 pr., 1 pd., 5 pr.

7ª: 6 pd., 1 pr., 1 pd., 1 pr., 1 pd., 1 pr.,
   1 pd., 1 pr., 1 pd., 1 pr., 1 pd.

**126**

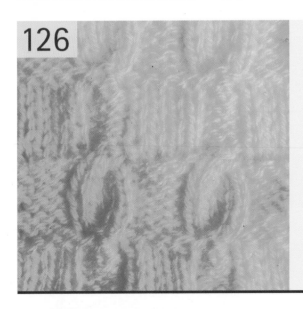

1ª: al derecho.

2ª: 4 pd., 4 pr.

3ª: 4 pr., pasar 2 pd. a una ag. aux., dejarla
   al revés del trabajo, tejer los 2 p.
   sig. al der., luego tejer los 2 p. que
   se pasaron a la ag. aux. al derecho.

4ª: 4 pd., 4 pr.

5ª, 6ª, 7ª y 8ª: 4 pd., 4 pr., tomando
   los puntos como se presentan.

9ª: al derecho.

10ª: invertir los cuadros.

**Repetir desde la tercera vuelta.**

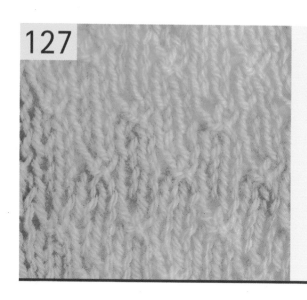

**127**

1ª: (x) 1 laz., 1 dism. simple, 2 pd. (x).
2ª, 4ª, 6ª y 8ª: al revés.
3ª y 7ª: al derecho.
5ª: (x) 2 pd., 1 laz., 1 dism. simple (x).
**Repetir desde la primera vuelta.**

1ª: 1 pd., pasar 1 p. sin tejer, 1 pd.,
    pasar 1 p. sin tejer.
2ª y pares: al revés.
3ª: se teje igual que la 1ª pero
    pasar sin tejer el p. que ha sido
    tejido en la 1ª y tejer el p.
    que se pasó sin tejer.

**128**

**129**

Las vueltas impares (derecho)
se tejen todas al derecho.
2ª, 4ª, 6ª y 8ª: 5 pr., 2 pd., (x) 5 pr.,
    2 pd. (x), 5 pr.
10ª, 12ª, 14ª y 16ª: 3 pr., (x) 2 pd.,
    5 pr. (x), 2 pd.
18ª, 20ª, 22ª y 24ª: 1 pr., 2 pd.,
    (x) 5 pr., 2 pd. (x), 2 pr.
26ª, 28ª, 30ª y 32ª: 1 pd., 5 pr.,
    (x) 2 pd., 5 pr. (x), 4 pr.

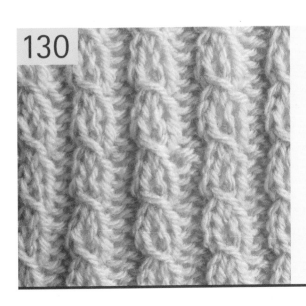

**130**

1ª: 2 pr., 1 pd., 1 laz., 1 pd.
2ª: 3 pr., 2 pd.
3ª: 2 pr., 1 p. sin tejer, 2 pd., pasar el p. sin tejer sobre los 2 p. tejidos
4ª: 2 pr., 2 pd.
**Repetir el dibujo.**

1ª: al derecho.
2ª: 5 pd., 1 pr.
3ª: 2 pd., 4 pr.
4ª: 3 pd., 3 pr.
5ª: 4 pd., 2 pr.
6ª: 5 pr., 1 pd.
7ª: 4 pd., 2 pr.
8ª: 3 pd., 3 pr.
9ª: 2 pd., 4 pr.
10ª: 5 pd., 1 pr.
**Repetir el dibujo desde la segunda vuelta.**

**131**

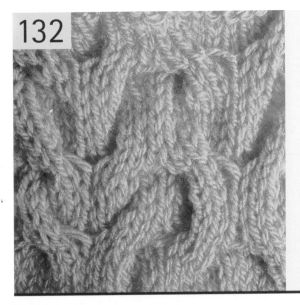

**132**

Comenzar con 7 vueltas de punto jersey.
8ª: (x) pasar sin tejer 3 p. a una ag. aux. que se deja sobre el derecho del trabajo. Tejer al der. los 3 p. sig. y al derecho los p. de la ag. aux. Pasar 3 p. a una ag. aux. que se dejan sobre el revés del trabajo, tejer los 3 p. sig. al derecho y luego los 3 p. de la ag. aux. (x).
**Repetir siempre estas ocho vueltas.**

**133**

1ª: al derecho.

2ª y pares: al revés.

3ª: (x) 9 pd., 2 pdj., 1 laz., 1 pd., 1 laz., 1 dism. simple, 6 pd. (x), 3 pd.

5ª: (x) 8 pd., 2 pdj., 1 laz., 3 pd., 1 laz., 1 dism. simple, 5 pd. (x), 3 pd.

7ª: (x) 7 pd., 2 pdj., 1 laz., 5 pd., 1 laz., 1 dism. simple, 4 pd. (x), 3 pd.

9ª: (x) 4 pd., 2 pdj., 1 laz., 2 pdj. tomados por atrás, 1 laz., 2 pdj. tomados por atrás, 1 laz., 3 pd., 1 laz., 2 pdj. tomados por atrás, 1 laz., 2 pdj. tomados por atrás, 1 laz., 1 dism. simple, 1 pd. (x), 3 pd.

11ª: (x) 3 pd., 2 pdj., 1 laz., 4 pd., 1 laz., 1 dism. simple, 1 pd., 2 pdj., 1 laz., 4 pd., 1 laz., 1 dism. simple, (x), 3 pd.

13ª: (x) 5 pd., 1 laz., 1 dism. simple, 9 pd., 2 pdj., 1 laz., 2 pd. (x), 3 pd.

15ª: (x) 6 pd., 1 laz., 1 dism. simple, 2 pd., 1 laz., 1 dism. doble, 1 laz., 2 pd., 2 pdj., 1 laz, 3 pd. (x), 3 pd.

17ª: (x) 7 pd., 1 laz., 1 dism. doble, 1 laz., 3 pd., 1 laz., 1 dism. doble, 1 laz., 4 pd. (x), 3 pd.

## 134

1ª: (x) 1 pd., 1 laz., 1 dism. simple,
5 pd., 2 pdj., 1 laz., 1 pd., 1 laz.,
1 dism. simple, 5 pd., 2 pdj.,
1 laz. (x), 1 pd.

2ª: 2 pr., 1 laz., 2 prj., 3 pr., 2 prj.
tomados por atrás, 1 laz. (x), 3 pr.,
1 laz., 2 prj., 3 pr., 2 prj. tomados
por atrás, 1 laz. (x), 2 pr.

3ª: 3 pd., 1 laz., 1 dism. simple, 1 pd.,
2 pdj., 1 laz., (x) 5 pd., 1 laz.,
1 dism. simple, 1 pd., 2 pdj.,
1 laz. (x), 3 pd.

4ª: 4 pr., 1 laz., 1 dism. doble, 1 laz.,
(x) 7 pr., 1 laz., 1 dism. doble,
1 laz. (x), 4 pr.

5ª: 3 pd., 2 pdj., 1 laz., 1 pd., 1 laz.,
1 dism. simple, (x) 5 pd., 2 pdj.,
1 laz., 1 pd., 1 laz., 1 dism. simple
(x), 3 pd.

6ª: 2 pr., 2 prj. tomados por atrás,
1 laz., 3 pr., 1 laz., 2 prj., (x) 3 pr., 2 prj.
tomados por atrás, 1 laz., 3 pr., 1 laz.
2 prj. (x), 2 pr.

7ª: 1 pd., 2 pdj., 1 laz., 5 pd., 1 laz.,
1 dism. simple, (x) 1 pd., 2 pdj.,
1 laz., 5 pd., 1 laz., 1 dism. simple
(x), 1 pd.

8ª: 2 prj. tomados por atrás, 1 laz.,
7 pr., 1 laz., (x) 1 dism. doble,
1 laz., 7 pr., 1 laz., (x) 2 prj.

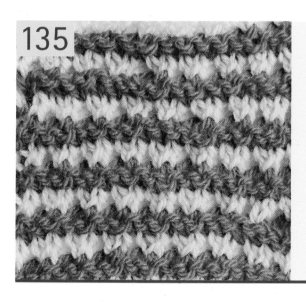

**135**

1ª: al derecho, con lana amarilla.
2ª: al revés, con lana amarilla.
3ª: con lana azul, 1 laz., 2 pdj., 1 laz., 2 pdj.
4ª: al derecho, con lana azul.
**Repetir desde la primera vuelta.**

1ª, 3ª, 5ª, 7ª y 9ª: 2 pd., (x) 1 laz.,
    2 pdj. (x), 2 pd.
2ª, 4ª, 6ª, 8ª y 10ª: 2 pd., (x) 2 pdj., 1 laz.
    (x), 2 pd.
11ª, 13ª, 15ª, 17ª y 19ª: 2 pd.,
    (x) 2 pdj., 1 laz. (x), 2 pd.
12ª, 14ª, 16ª, 18ª y 20ª: 2 pd.,
    (x) 1 laz., 2 pdj. (x), 2 pd.

**136**

**137**

1ª: 1 pd., (x) 1 laz., 2 pdj. (x).
2ª: al revés todos los p. y las laz.
**Repetir las dos vueltas.**

**138**

Se teje con lana de 2 colores,
siempre en p. jersey.
1ª y 2ª: con lana rosa.
3ª: con lana azul, (x) 1 pd.,
    pasar 1 p. sin tejer (x).
4ª (revés): tejer 1 p. y dejar sin tejer
    el que no se tejió con lana azul.

**139**

1ª: como para tejer pr. se saca el
    1er. punto y no se lo teje, se teje
    el siguiente, se saca el p. sin
    tejerlo, se teje el siguiente al
    revés y en esta forma toda la vuelta.
2ª: al revés.
3ª: como la 1ª.
4ª: al revés.

**140**

1ª: 1 pd., 1 laz., 3 pd., 1 dism. doble, 3 pd.,
1 laz., 1 pd.
2ª: al revés.
3ª: igual que la 1ª.
**Repetir el dibujo.**

**141**

1ª: 2 pd., (x) levantar la lana, pasar
    1 p. sin tejer, bajar la lana, 1 pd. (x).
2ª y pares: al revés.
**Repetir el dibujo.**

1ª: 1 pd., (x) 1 pd., 2 pdj., 1 laz., 3 pd. (x).
2ª y pares: al revés.
3ª: 1 pd., (x) 1 pd., 1 laz.,
    1 dism. doble, 1 laz., 3 pd. (x).
5ª: 1 pd., (x) 1 laz., 1 dism. simple,
    1 pd., 2 pdj., 1 laz., 1 pd. (x).
7ª: igual a la 3ª.
**Repetir desde la primera vuelta.**

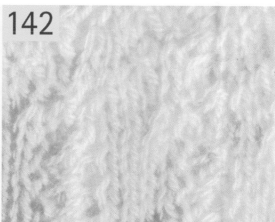

**142**

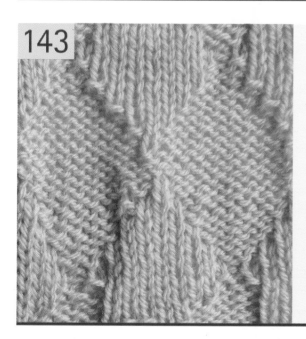

**143**

1ª y 17ª: 1 pd., 9 pr.
2ª y 18ª: tejer los p. como se presentan.
3ª y 15ª: 2 pd., 7 pr., 1 pd.
4ª y 16ª: tejer los p. como se presentan.
5ª y 13ª: 3 pd., 5 pr., 2 pd.
6ª y 14ª: tejer los p. como se presentan.
7ª y 11ª: 4 pd., 3 pr., 3 pd.
8ª y 12ª: tejer los p. como se presentan.
9ª: 5 pd., 1 pr., 4 pd.
10ª: tejer los p. como se presentan.
10ª: al revés.
20ª: al derecho.
**Repetir el dibujo.**